Santé & Bien-être

Birgit Frohn

ANTI-ÂGE

PLUS LONGTEMPS JEUNE
PLUS LONGTEMPS BELLE

- Comment remonter son horloge biologique
- Comment rester séduisante et dynamique
- Derniers résultats de la recherche sur le vieillissement

VIGOT

Sommaire

Avant-propos

Belle et jeune plus longtemps : voilà bien une quête éternelle. La légendaire source de jouvence reste pourtant toujours introuvable et personne n'est encore parvenu à découvrir le moyen d'arrêter, ni même de suspendre momentanément, le processus naturel de vieillissement de notre corps. La rapidité à laquelle tourne l'aiguille du compte à rebours et le moment où apparaissent les premières injures du temps sont toutefois beaucoup plus aléatoires qu'on pourrait le croire. Grâce à la recherche scientifique, la connaissance des processus de vieillissement a considérablement progressé. Nous savons aujourd'hui comment et pourquoi nous vieillissons, mais surtout comment ralentir de façon non négligeable le vieillissement cutané en entretenant l'élasticité de la peau et sa capacité à se régénérer.

Il est aujourd'hui prouvé que l'espérance de vie n'est déterminée par l'hérédité que pour un tiers, les autres paramètres étant principalement liés au mode de vie : notre alimentation, les activités que nous pratiquons, le taux de stress auquel nous sommes exposées dans notre vie privée et professionnelle, notre attitude face à l'existence, etc. Pour rester jeune, il paraît donc indispensable d'avoir une bonne hygiène de vie. C'est sur cette base que vont ensuite reposer les différentes mesures visant à entretenir la jeunesse et la beauté de la peau. Il s'agira notamment de soins spécifiques destinés à lui apporter les éléments dont elle a besoin pour se régénérer chaque jour, résister aux agressions extérieures, conserver l'hydratation, garder son élasticité et surtout lutter contre les radicaux libres, principaux agents responsables du vieillissement. Mais il est aussi possible de prévenir certains symptômes, comme les taches de vieillesse, ou d'y remédier le cas échéant.

Jeunesse, bien-être et vitalité sont donc plus qu'un simple cadeau de la nature ou une disposition heureuse acquise au berceau. C'est avant tout le résultat d'une prise de conscience. L'objet de cet ouvrage est de vous donner les moyens de mettre la théorie en pratique.

Birgit Frohn

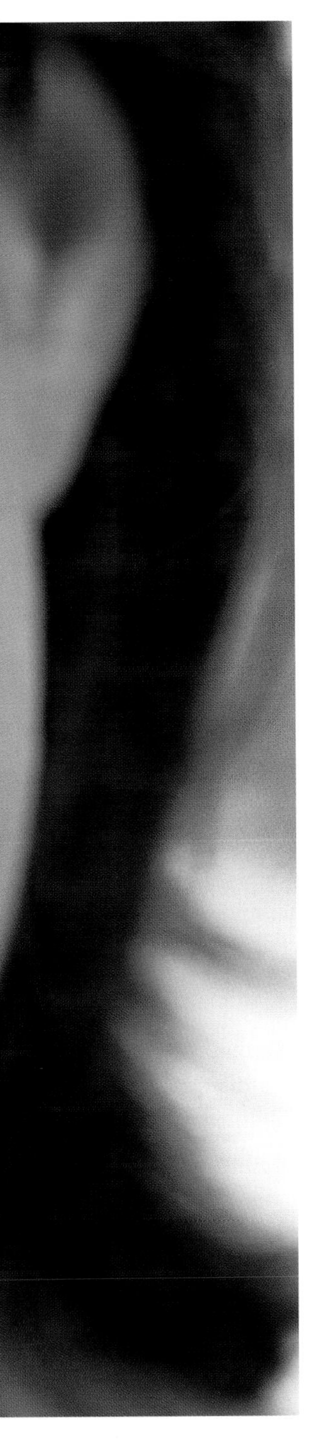

Les coulisses du vieillissement

Nous ne serons certainement jamais en mesure d'arrêter, ni même de suspendre momentanément, le processus de vieillissement de notre organisme. Il nous est en revanche possible de ralentir de manière non négligeable le déclin de nos facultés physiques et intellectuelles et de rester ainsi plus longtemps jeunes et en bonne santé. L'un des moyens les plus sûrs de prolonger notre espérance de vie tout en augmentant notre bien être est de combattre les radicaux libres, principaux agents responsables du vieillissement. Il revient donc à chacune de nous de mettre en pratique les dernières découvertes de la recherche sur le vieillissement.

Des nouvelles de la recherche sur le vieillissement

C'est entre la 28e et la 36e année que les spécialistes du vieillissement situent en général le moment où la maturation laisse place au déclin. Les femmes sont, à cet égard, favorisées, car elles sont au maximum de leurs capacités vers 35 ans, tandis que les hommes commencent à décliner avant 30 ans.
Nul ne sait encore la raison exacte du vieillissement, ni pourquoi certains d'entre nous commencent à vieillir plus tôt et d'autres plus tard, mais le voile qui recouvre l'évanescence de la jeunesse se lève progressivement.

Pourquoi nous vieillissons

Au fur et à mesure que la recherche avance, il apparaît de plus en plus clairement que notre longévité dépend non pas d'un, mais de plusieurs facteurs et paramètres. L'hérédité est l'un des principaux, si bien que celui ou celle dont les parents et les grands-parents ont atteint un grand âge a naturellement de grandes chances de vivre longtemps. Par ailleurs, selon la théorie des radicaux libres, certains fragments moléculaires favoriseraient, lorsqu'ils sont en trop grand nombre, le vieillissement de notre organisme (voir *Les radicaux libres — facteurs de stress oxydatif*, page 10). Enfin, la diminution de notre production hormonale constitue un troisième facteur important dans le processus de vieillissement (voir page 15).

Principe de la médecine anti-âge : donner plus de vie aux années et non pas plus d'années à la vie.

La rapidité à laquelle tourne l'aiguille du compte à rebours dépend aussi dans une large mesure de la façon dont nous vivons. Nous pouvons en effet très aisément influer sur notre programme génétique. La preuve en est que jamais les êtres humains n'auront vécu aussi longtemps qu'en ce début de XXIe siècle : l'espérance de vie moyenne est actuellement de 80 ans pour les femmes et de 73 ans et demi pour les hommes.
Des études menées sur des jumeaux monozygotes, dont le patrimoine génétique est identique, ont également montré que la longévité n'est pas entièrement déterminée par les gènes. Dans de nombreux cas en effet, la durée de vie des deux frères ou sœurs s'est avérée très inégale.

Aussi les chercheurs estiment-ils à l'heure actuelle que l'hérédité ne détermine notre longévité qu'à 30 %.

Le vieillissement commence dans les cellules

Il est néanmoins inscrit dans nos gènes quand commencera le processus de vieillissement et à quel rythme il progressera. D'après la théorie des télomères, la capacité des cellules à se dupliquer par division n'est pas illimitée et varie en fonction des individus. Ce processus de limitation a été mis en évidence par le biologiste américain Leonard Hayflick en 1961. La division des cellules est rendue possible par la présence de télomères, qui, tels de minuscules capuchons, recouvrent l'extrémité des chromosomes. À chaque division, ces séquences répétitives raccourcissent, et une fois épuisées, la cellule ne peut plus se multiplier et elle meurt. Une enzyme nouvellement découverte, appelée télomérase, permet aux « capuchons » de durer plus longtemps. Tout le problème est maintenant de savoir si oui ou non cette enzyme est capable de ralentir le vieillissement.

Les télomères coiffent l'extrémité des cordons d'ADN dont se composent les chromosomes et raccourcissent à chaque division cellulaire. Une fois les télomères épuisés, a cellule ne peut plus se multiplier et meurt.

Certains faux pas génétiques peuvent en outre jouer un rôle déterminant dans notre longévité. Les mutations d'ADN pouvant se produire au cours de notre existence, en raison d'erreurs de notre part ou de l'action de certains agents tels que les radicaux libres, se perpétuent par le biais de la division cellulaire. Notre corps possède une capacité réparatrice limitée. Passé un certain stade, les dégâts sont trop importants et la fin approche. Le vieillissement est donc intimement lié à l'accumulation de cellules défectueuses. La décrépitude de notre organisme

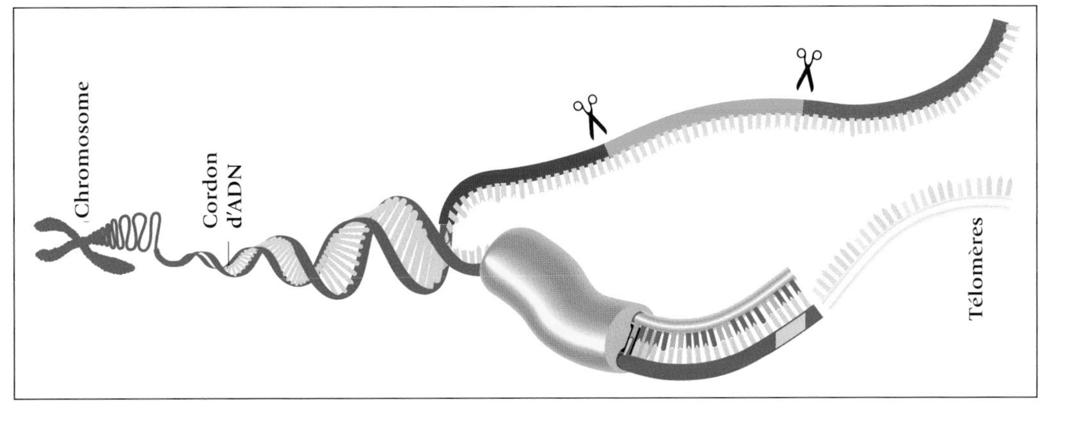

commence là où la vie trouve son origine : dans les cellules. Longévité, santé et vitalité dépendent en dernier ressort de l'état nos cellules.
C'est exactement ici que le vieillissement cesse d'être une fatalité. Rien ne nous empêche en effet de ménager nos cellules en évitant de les exposer à ce qui leur est le plus nocif : les radicaux libres. En inhibant la télomérase, ces agents accélèrent la mort programmée des cellules. Ils ont, en outre, la propriété d'activer les gérontogènes, séquences situées sur les chromosomes provoquant le déclenchement prématuré et l'accélération des processus de sénescence.

Les cellules « rouillent » petit à petit sous l'action des radicaux libres.

Les radicaux libres — facteurs de stress oxydatif

L'oxygène, élément pourtant indispensable à la vie, possède un revers moins sympathique : son utilisation par le métabolisme donne naissance à des produits d'oxydation, dont les plus redoutables sont les radicaux libres. Ces fragments moléculaires sont dépourvus d'électrons, particules chargées négativement, et cherchent frénétiquement à s'en procurer en les chipant à d'autres molécules. Ce phénomène appelé oxydation provoque une funeste réaction en chaîne, car chaque molécule dépossédée se met à son tour en quête de nouveaux électrons. Ainsi, les radicaux libres font constamment des émules, qui tous ensemble, mènent une bataille rangée contre l'organisme : ils endommagent les cellules, attaquent l'ADN, matériau génétique du corps, provoquent nombre de maladies et participent de manière cruciale au processus de vieillissement.
Outre le fait que les radicaux libres naturellement produits par le métabolisme se multiplient en cascade, il existe également des facteurs

Les UV le tabac le smog et l'ozone produisent également des radicaux libres.

Antioxydants : la police de l'oxygène

Au cours de l'évolution, des boucliers contre le stress oxydatif se sont mis en place : les antioxydants. Il s'agit de substances facilement oxydables qui absorbent rapidement l'oxygène libre et protègent ainsi les autres substances de l'oxydation. Les antioxydants empêchent de cette manière la formation de radicaux libres. Aussi les appelle-t-on parfois « pièges à radicaux libres ». De nombreuses études ont prouvé l'effet ralentisseur des antioxydants sur le vieillissement : plus ces agents sont nombreux à soutenir le corps dans son combat contre les radicaux libres, plus nos chances sont grandes de rester jeunes et en bonne santé longtemps.

extérieurs qui favorisent leur formation. La conjugaison de ces deux causes entraîne une augmentation permanente du nombre des radicaux libres tout au long de notre vie : plus nous avançons en âge, plus le stress oxydatif auquel est soumis notre corps est grand. Il est vrai que ce dernier peut se défendre lui-même, dans une certaine mesure, contre les radicaux libres, notamment par la production d'enzymes antiradicalaires, telles que la glutathion-peroxydase ou la catalase, ainsi que par l'absorption de vitamines C et E, de sélénium et de bêtacarotène (voir page 26). Cependant, ce dispositif de défense laisse de plus en plus à désirer au fur et à mesure que le temps passe, notamment en raison du fait que plus on avance en âge, plus il devient difficile à notre organisme d'assimiler les nutriments.

La peau — miroir de la vie

C'est à la peau que l'on reconnaît le plus sûrement l'âge d'une personne, aussi bien sur le plan physique que mental. Les humeurs, mais aussi le stress, le manque de sommeil et certaines mauvaises habitudes comme le tabagisme ou l'alcoolisme, sont clairement lisibles sur les traits de notre visage. Voyons rapidement comment fonctionne la peau et de quels éléments elle se compose.

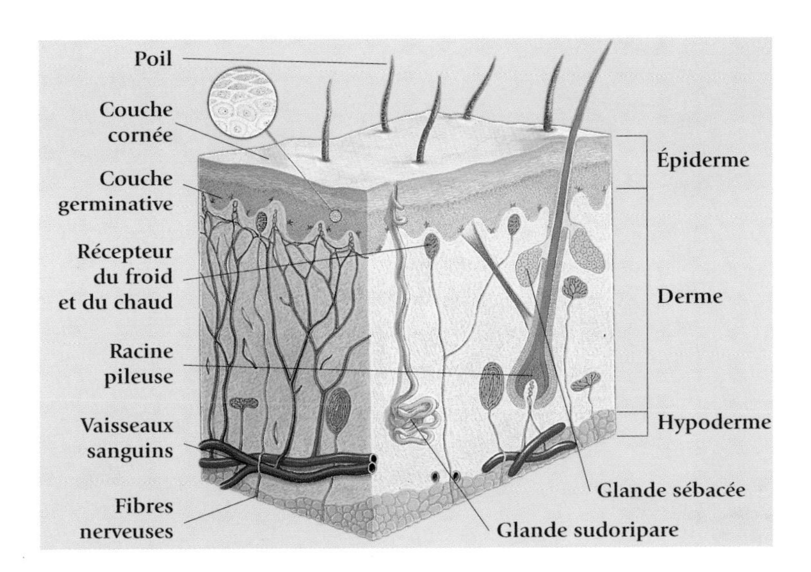

Les couches cutanées et leurs fonctions

La peau couvre au total une surface de 1,5 à 2 m^2 et représente un sixième de notre poids corporel, ce qui en fait notre organe le plus grand.

- L'épiderme protège, d'une part, le corps du dessèchement, des germes pathogènes et autres agents néfastes et il permet, d'autre part, l'absorption et l'élimination de différentes substances. Il se régénère en permanence : dans sa couche profonde naissent constamment de nouvelles cellules qui en quatre semaines atteignent la partie superficielle de l'épiderme, où elles forment la couche cornée.

Le collagène et l'élastine confèrent à la peau souplesse et élasticité.

- Situé immédiatement sous de l'épiderme, le derme se présente essentiellement sous la forme d'un tissu conjonctif serré renfermant un réseau de fibres de collagène et d'élastine. Les premières conservent l'eau et assurent la stabilité mécanique de la peau, tandis que les secondes sont responsables de sa solidité et de son élasticité. C'est grâce à ces fibres que la peau a cette apparence lisse et tendue caractéristique de la jeunesse. Le derme recèle, en outre, des racines pileuses, des glandes sébacées et sudoripares, des vaisseaux lymphatiques et sanguins ainsi que des fibres nerveuses chargées de recevoir et de transmettre au cerveau les sensations de pression, de douleur, de chaud et de froid.
- Sous le derme se trouve une couche de graisse, appelée hypoderme, qui se compose d'innombrables cellules adipeuses entourées d'un tissu conjonctif lâche. C'est dans ces cellules que les deux tiers de notre masse graisseuse sont stockés. L'hypoderme nous protège des variations brusques de température ainsi que des chocs et sert de réserve d'énergie.

Sport, douche écossaise et brossage à sec entretiennent le tissu conjonctif.

Le tissu conjonctif et ses faiblesses

Dilatation des vaisseaux cutanés, couperose, varices, relâchement cutané et cellulite, ont une seule et même origine : la faiblesse du tissu conjonctif. Or le fait que ce défaut soit, la plupart du temps, héréditaire est une piètre consolation. À part les raisons génétiques, la faiblesse du tissu conjonctif peut aussi avoir pour cause certains

La petite différence...

Pas celle à laquelle vous pensez, mais une autre, celle qui concerne la peau, dont la structure n'est pas tout à fait la même chez l'homme et chez la femme. L'épiderme de ces messieurs est, en effet, beaucoup plus épais que celui de la gent féminine. Chez les premiers, les fibres conjonctives forment un réseau plus serré et les loges adipeuses sont plus petites ; ce corset naturel faisant défaut à la femme, dont la peau doit pouvoir s'étirer au moment de la grossesse. C'est pourquoi chez elle les fibres conjonctives sont disposées parallèlement les unes aux autres, ce qui permet aux cellules adipeuses de décupler de volume sans problème. Elles se gonflent de lipides et font pression sur le tissu conjonctif environnant, dont les fibres ressortent, ce qui donne à la peau cet aspect capitonné caractéristique de la cellulite. Les hommes sont d'autant moins menacés par ce problème que les hormones masculines ont un effet tenseur sur la peau.

En application externe, la testostérone et autres hormones masculines retendent la peau.

troubles de la fonction intestinale. C'est généralement un signe d'acidification du corps et de surmenage de l'intestin, et ce n'est pas un hasard si les personnes concernées ont souvent des problèmes digestifs. Certains résidus, normalement destinés à être éliminés par le foie et les intestins, restent dans l'organisme, où ils s'accumulent et provoquent l'acidification progressive des tissus. Ces produits métaboliques forment dans les espaces intercellulaires des dépôts solides qui bloquent le passage de la lymphe et du sang, empêchant ainsi les tissus de bénéficier d'une bonne irrigation. Les parties les plus touchées sont les zones périphériques comme les cuisses ou les fesses. Il s'ensuit une modification de la structure tissulaire : des amas de cellules adipeuses se forment dans le tissu conjonctif, provoquant le dessèchement des cellules fibreuses.

L'âge de la peau

Tôt ou tard le temps prélève sur chacun de nous son tribut : l'un de vos amis, qui a fêté récemment ses 50 ans, paraît avoir la trentaine, alors qu'un autre fait 10 ans de plus qu'il n'a en réalité. Malgré ces différences, nous subissons tous, au fil du temps, des altérations cutanées qui en fin de compte trahissent notre âge.

Échelle temporelle des signes de vieillissement cutané

Établie par le Centre de Recherches et d'Investigations Épidermiques et Sensorielles (C.E.R.I.E.S) à partir d'une vaste enquête :

Âge	Altérations cutanées
18-29 ans	Cernes, ridules autour des yeux
30-39 ans	Rides verticales entre les sourcils, ridules au-dessus de la lèvre supérieure, petits vaisseaux éclatés.
40-49 ans	Rides et poches sous les yeux, ptôse des paupières
50-59 ans	Pattes d'oie, sillon allant de l'aile du nez à la commissure des lèvres, taches de vieillesse
60-70 ans	Atténuation des contours du visage, modification de la forme du visage, rides tout autour des lèvres

Processus impliqués dans le vieillissement cutané

Tout ce qui favorise la formation des radicaux libres accélère le vieillissement.

À partir de 25 ans

- Les fibres élastiques du tissu conjonctif commencent à se fatiguer, la peau perd de son élasticité.
- Les fibres de collagène commencent leur déclin, et leur capacité d'hydratation diminue.
- La capacité de régénération de l'épiderme diminue.

À partir du début de la quarantaine

- La division cellulaire ralentit progressivement, et avec elle, la régénération de l'épiderme.
- Les cellules neuves mettent de plus en plus de temps pour remonter de la couche profonde à la surface de l'épiderme.
- Le nombre des racines pileuses diminue, ainsi que celui des cellules pigmentaires du poil, d'où une chevelure de plus en plus clairsemée et grisonnante.
- L'oxygénation et l'irrigation de la peau diminuent.

Vers 45 ans

- Les fibres élastiques s'atrophient, ce qui se traduit par une perte de souplesse et d'élasticité de la peau.
- L'hypoderme conserve moins bien l'eau, alors même que les pertes en eau par l'épiderme s'intensifient.

À partir de la fin de la quarantaine et à la ménopause

- La production hormonale cutanée chute.
- L'activité des glandes endocrines ralentit de manière générale : la peau prend un nouveau coup de vieux.

À partir de la cinquantaine

- La peau devient plus fine et plus fragile en raison de la baisse de la teneur en eau de l'organisme.
- Les rides refusent désormais de s'estomper.
- Les premières taches de vieillesse apparaissent.
- La sécrétion des glandes sébacées et sudoripares baisse.

La peau ne respecte aucun calendrier

Se pose maintenant la question de savoir pourquoi la peau vieillit plus vite chez certaines personnes et plus lentement chez d'autres. Pour les dermatologues, la réponse est simple : c'est parce que l'horloge interne de la peau n'est pas forcément réglée sur les différentes étapes de la vie. En fait, le moment où le processus de vieillissement cutané commence à avoir des effets visibles dépend aussi bien de facteurs extrinsèques que de facteurs intrinsèques :

- Du patrimoine génétique, où est inscrite la durée de vie des cellules pour chaque individu (voir page 9).
- De la baisse plus ou moins rapide de la production hormonale.
- Du mode de vie et de certains facteurs tels que l'exposition aux UV ou le tabac.

Hormones — source naturelle de jouvence

Notre corps est en permanence le siège de réactions et de processus qui, pour leur bon déroulement, demandent une orchestration parfaite. Ces phénomènes multiples ont pour maître de cérémonie les hormones, substances chimiques messagères circulant dans l'organisme par le canal du système vasculaire. Les informations ainsi transmises provoquent des réactions dans les organes destinataires.

Les hormones mettent en branle toutes sortes de processus dans notre corps.

L'ensemble des fonctions cutanées ainsi que l'aspect de la peau subissent l'influence des hormones, lesquelles ont un effet structurant, fortifiant et revitalisant. Les hormones sexuelles, aussi bien masculines que féminines, constituent, à cet égard, un véritable élixir de beauté. Toutefois, cette protection naturelle ne dure pas éternellement et, dès l'âge de 35 ans, la concentration hormonale décroît lentement mais sûrement. Ce déficit se manifeste notamment par une moindre formation de fibres de collagène et d'élastine, par un renouvellement plus lent des cellules épidermiques et par une diminution de la production d'acide hyaluronique (voir page 55) entraînant une peau plus sèche et moins bien irriguée. On assiste alors à un relâchement cutané et à la transformation des ridules en véritables rides ; bref, la peau vieillit.

Hypophyse, thyroïde, pancréas et organes génitaux sont nos usines à hormones

Hormones de beauté — gardes du corps de la peau

Grâce au progrès de la biologie et de la cosmétologie, il existe aujourd'hui des crèmes et des gels à base d'hormones de synthèse, identiques aux hormones naturelles, dont l'application permet de limiter dans une certaine mesure les conséquences, malheureusement toujours trop visibles, de la baisse d'activité hormonale liée à l'âge.

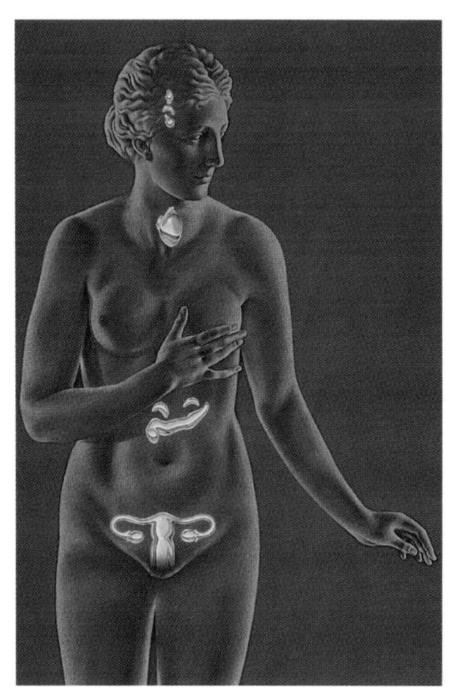

DHEA (déhydroépiandrostérone)
- stimule la formation de fibres de collagène,
- raffermit le tissu conjonctif,
- prévient le dessèchement cutané,
- protège les cellules cutanées contre les radicaux libres.

Mélatonine
- stimule le renouvellement et le développement des cellules cutanées,
- retend l'épiderme.

Œstrogène
- permet l'élaboration de l'acide hyaluronique, antirides naturel,
- stimule la formation de collagène et d'élastine et conserve ainsi à la peau son aspect lisse et tendu,
- prévient la chute des cheveux,
- piège les radicaux libres,
- prévient l'ostéoporose.

Testostérone
- renforce l'épiderme, tout comme d'autres hormones masculines,
- stimule la formation des cellules épidermiques,
- raffermit le tissu conjonctif,
- favorise l'élimination des déchets métaboliques par la peau.

Hormone de croissance
- stimule la croissance et les processus de régénération du corps,
- limite la formation et l'accumulation de cellules adipeuses,
- favorise le développement de masses non graisseuses telles que les muscles.

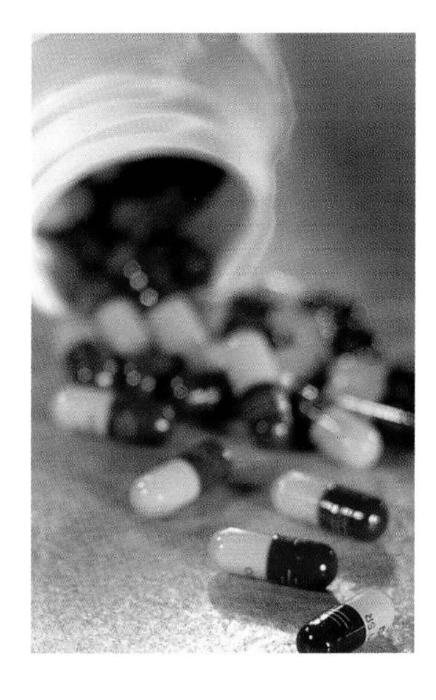

En usage externe comme en usage interne, la prise d'hormones exige un suivi médical.

Cocktails d'hormones — le pour et le contre

La jeunesse contre espèces sonnantes et trébuchantes n'appartient plus au mythe. Un nombre croissant d'hommes et de femmes cherche à repousser autant que possible le vieillissement au moyen de diverses hormones. Les médecins mettent en garde contre un usage incontrôlé et anarchique de ces substances. Beaucoup de gens ont, en effet, pris l'habitude de consommer des cocktails d'hormones selon un dosage tout à fait fantaisiste et en se fournissant sur Internet. En prenant, par exemple, de la DHEA en trop grande quantité et sans aucune surveillance médicale, les hommes augmentent leurs risques de cancer de la prostate, tandis que les femmes ont toutes les chances de voir leur peau se couvrir d'impuretés et leurs cheveux tomber.

Soumis à divers facteurs extrinsèques, le système hormonal est en équilibre précaire.

Seul un endocrinologue peut vous indiquer comment utiliser sans risque les cosmétiques à base d'hormones proposés sur le marché. Pour connaître votre statut hormonal, il fera procéder à des analyses de sang détaillées. Les produits prescrits ainsi que leur dosage dépendront exclusivement des déficits réellement constatés. Les médicaments anti-âge se présentent généralement sous la forme de crèmes ou de gels topiques à usage externe. De cette manière, les hormones n'agissent que là où cela est nécessaire : par exemple la testostérone sur les cuisses contre la cellulite ou l'œstrogène sur les zones du visage menacées par les rides. Le lifting hormonal n'est toutefois pas pris en charge par la sécurité sociale.

Test

Quel est votre âge biologique ?

Le compte à rebours va plus ou moins vite selon les individus, et cette inégalité a incité les chercheurs à définir des marqueurs biologiques de l'âge. Au vu de certains paramètres, il est en effet possible de connaître l'âge réel de notre corps comparativement à notre âge « civil ». La plupart des instituts de beauté proposent aujourd'hui des tests destinés à déterminer ce fameux âge biologique. Les analyses portent notamment sur la charpente osseuse, l'économie hormonale, l'ampleur du stress oxydatif provoqué par les radicaux libres, la fonction pulmonaire, la vue, la réactivité et les valeurs sanguines. Le test suivant vous permettra de connaître approximativement votre âge biologique. Pour chaque question cochez une seule réponse et faites ensuite l'addition des points. Les résultats de ce test se trouvent à l'intérieur du recto de la couverture.

Quel est votre indice de masse corporelle
(Poids [en kg] divisé par la taille [en m] au carré)
Inférieur à 18 ou supérieur à 30 1
18 ou 25-30 2
19-24 3

Votre tension artérielle se situe
En dessous de 120/80 1
Entre 121/81 et 140/90 2
Entre 141/91 et 150/95 3
Au-dessus de 151/96 0

Vous mangez
Sainement, en privilégiant
les aliments complets 3
Assez sainement, en vous autorisant
toutefois pas mal d'écarts 2
Souvent dans des fast-food
et peu de légumes verts 1

Combien de fois mangez-vous chaque jour ?
Régulièrement trois ou quatre fois,
matin, midi et soir 3
Un seul vrai repas le soir,
pas de petit-déjeuner,
des encas dans la journée 1
Deux fois, le matin et le soir 2

Selon quelle fréquence consommez-vous des fruits et des légumes ?
Tout au plus trois ou quatre fois
par semaine 1
Une fois par jour 2
Plusieurs fois par jour 3

Quelle quantité d'alcool avez-vous l'habitude de boire ?
Au moins trois verres de vin ou de bière
par jour, plus des alcools forts 1
Pas plus de deux verres de vin ou de bière
par jour et pas d'alcools forts 2
Un verre de vin ou de bière
une ou deux fois par semaine 3
Plusieurs fois par semaine un ou deux verres
de vin ou de bière 4

Quelle quantité d'eau buvez-vous par jour ?
Deux à 2,5 l d'eau, de jus
ou d'infusions par jour 3
Environ 1,5 l par jour,
sans compter plusieurs tasses de café 2
Tout au plus 1 l, sans compter le café 1

Fumez-vous ?
Oui 0
Non 4

Si oui, combien fumez-vous ?
Au maximum dix cigarettes par jour 1
Une cigarette trois ou quatre fois
par semaine 2
Plus d'un paquet par jour depuis longtemps 0

Combien d'heures dormez-vous chaque nuit ?
De sept à neuf heures,
de quoi me sentir en forme 3
Rarement plus de cinq ou six heures,
avec fatigue assez fréquente au réveil 2
À peine plus de cinq heures,
avec une sensation fréquente d'épuisement .1

Combien d'heures de sport faites-vous par semaine ?
Plus de cinq heures .3
Entre trois et cinq heures 2
Entre une et trois heures 1

Y a-t-il eu dans votre famille des cas de maladies cardio-vasculaires, de cancer, de diabète ou de démence ?
De nombreux cas 0
Plusieurs 1
Un ou deux 2
Aucun 3

Quel est votre attitude par rapport au soleil ?
En été, je prends des bains de soleil de plusieurs heures, souvent sans protection ; en hiver, je fais des UV une ou deux fois par semaine 1
Je me protège et évite de rester longtemps au soleil 2

Vous êtes
Heureuse en amour .3
Seule, mais cela vous convient ainsi 2
Seule, et vous le regrettez 1

Vous vivez
Seule 1
Avec votre compagnon 3
Avec un animal 2

Selon quelle fréquence faites-vous l'amour ?
Trois ou quatre fois par semaine 4
Deux ou trois fois par mois 2
Moins souvent 0

Vous êtes
Souvent nerveuse ou tendue 1
Généralement détendue 2
Très calme et quasiment toujours
détendue 3

Comment jugez-vous votre vie ?
Dans l'ensemble satisfaisante 3
Certaines choses pourraient être améliorées,
mais je n'ai pas à me plaindre 2
Plutôt insatisfaisante, j'aimerais que
beaucoup de choses changent 0

Votre activité professionnelle
Vous apporte beaucoup de satisfaction et de plaisir, même si vous êtes parfois un peu stressée 3
Vous apparaît comme une routine plus ou moins pesante 2
Ne vous apporte aucune satisfaction et exige trop de vous 1

Les cinq clés pour rester belle

Dans l'état actuel des connaissances, nous pouvons dire que notre espérance de vie est déterminée aux deux tiers par la façon dont nous vivons. Manger suffisamment de légumes verts, savoir se détendre, ne pas fumer, pratiquer une activité sportive, être heureuse en amour et avoir quelques bons amis sur qui compter sont autant de facteurs positifs. En renonçant dans le même temps aux mauvaises habitudes acquises au fil du temps et en prenant bien soin d'éviter au maximum les situations à risque, nous pouvons tout à fait vieillir moins vite, conserver plus longtemps notre vitalité et rester séduisante malgré l'âge.

Active et jeune plus longtemps

Alimentation, activité physique, stimulation, sommeil et mode de vie forment la base sur laquelle reposent toutes les mesures visant à retarder le vieillissement cutané. Il s'agit là d'un immense potentiel que l'on ne met jamais assez tôt à profit. C'est en effet dès la trentaine qu'il faut commencer à se préoccuper de ces choses, comme de sa santé en général, si l'on ne veut pas regretter ensuite sa négligence. Il n'est toutefois pas question ici d'éviter rigoureusement toutes les influences potentiellement néfastes et encore moins de réformer radicalement son mode de vie. Il s'agit plutôt d'adopter une attitude plus positive et volontaire par rapport à sa propre existence et de prendre conscience que nous n'avons pas de capital plus précieux que la santé et la jeunesse. Faire de son mieux pour rester dynamique et séduisante passé un certain âge est beaucoup moins contraignant que ce que l'on croit généralement et représente un gain énorme en termes de joie de vivre.

Une bonne hygiène de vie permet de retarder le processus de vieillissement.

La beauté par l'alimentation

Rester jeune et belle par l'alimentation n'est pas une utopie, mais un fait scientifiquement établi, et pour s'en assurer, il suffit de mettre la théorie en pratique. Une alimentation saine et équilibrée permet indéniablement de rester énergique plus longtemps ; certains nutriments en particulier ont la propriété de maintenir les fonctions physiologiques et intellectuelles en alerte et de ralentir le processus de sénescence. Les vitamines, les sels minéraux, les substances végétales secondaires (voir page 24), ainsi que d'autres éléments contenus dans les aliments, ont en effet un pouvoir énorme en ce qui concerne la conservation de la santé, de la beauté et de la vitalité.

Les antioxydants protègent la peau

L'une des principales découvertes scientifiques en matière d'alimentation nous apprend que de nombreuses substances alimentaires sont susceptibles de réduire le stress oxydatif. Nous possédons

dès lors un moyen inespéré de ralentir le processus de vieillissement cutané et organique. En protégeant notre peau contre les dégâts provoqués par les radicaux libres, une alimentation riche en antioxydants nous permet, à coup sûr, de rester plus longtemps jeune et séduisante.
Pour une action protectrice ciblée, les substances antioxydantes peuvent aussi être utilisées localement en usage externe, sous forme de crème ou de lotion.

Fruits et légumes frais contrebalancent l'action des radicaux libres, car ils contiennent beaucoup d'antioxydants.

Renforcer son système immunitaire

Pour lutter contre le vieillissement, il faut aussi penser à faire quelque chose pour son système immunitaire car, avec le temps, les défenses naturelles de l'organisme perdent de leur efficacité, et là encore, la peau est la première touchée. Pour résister quotidiennement aux agressions extérieures il lui faut une armée de cellules défensives. Or une alimentation riche en antioxydants permet, non seulement, de limiter les dommages provoqués par les radicaux libres, mais également de renforcer le système immunitaire de l'organisme.

Cinq fois par jour

La meilleure façon d'apporter à notre corps les antioxydants dont il a besoin pour rester en bonne santé est de manger régulièrement des légumes et des fruits frais. Les nutritionnistes en recommandent cinq portions quotidiennes. Nul n'est besoin pour cela de faire à chaque fois un repas complet ; il peut s'agir simplement d'une pomme, d'une assiette de salade verte ou bien d'un grand verre de jus de carottes fraîches.

Il est prouvé que manger des fruits ou des légumes frais cinq fois par jours renforce le système immunitaire.

Restriction calorique

Voilà encore un gage de longévité et de santé. Les résultats d'une étude publiée en 1999 dans *Science Magazine* ont montré qu'une diminution de l'apport calorique journalier peut ralentir le processus de vieillissement. Pour métaboliser l'énergie — et les calories ne sont rien d'autre — notre organisme consomme en effet de l'oxygène. Or c'est à cette occasion que se forme une partie des radicaux libres qui nous assaillent. L'équation est donc simple : moins de calories = moins d'oxygène consommé = moins de dommages provoqués par les radicaux libres.

Les bonnes et les mauvaises graisses

Qu'il s'agisse d'huile, de graisse ou de beurre, tous les corps gras ne se valent pas : selon leur structure chimique les acides gras sont dits saturés (chaîne de carbone dépourvue de double liaison et entourée d'un maximum d'atomes d'hydrogène), mono-insaturés (chaîne de carbone comprenant une seule double liaison) ou poly-insaturés (chaîne de carbone comprenant deux liaisons doubles ou plus). Leur action n'est donc pas la même. Les acides gras saturés augmentent le taux de cholestérol LDL (Low Density Lipoprotein : le « mauvais » cholestérol) dans le sang au détriment des parois artérielles, alors que les acides gras insaturés, comme l'huile d'olive ou de colza, le font baisser. Pour rester en bonne santé jusqu'à un âge avancé il ne suffit pas de réduire la quantité de matières grasses que l'on consomme, mais il faut aussi s'assurer de leur qualité.

Préparation à base d'huiles de sésame, de tournesol, de germes de blé et de lin.

CONSEIL

Lorsque vous avez le choix, donnez toujours la préférence à l'huile d'olive, car elle contient essentiellement des acides gras insaturés, et aide ainsi à faire baisser le taux de cholestérol LDL dans le sang.

On trouve aujourd'hui dans les magasins bio un grand choix d'huiles végétales à haute valeur nutritionnelle obtenues par première pression à froid. Ces produits contiennent beaucoup d'acides gras insaturés ainsi que de la vitamine E, du carotène et d'autres antioxydants tels que lécithine ou phyto-œstrogènes. Pour profiter au maximum de leurs bienfaits, il est recommandé d'en avoir toujours plusieurs dans la cuisine et d'alterner.

Les substances végétales secondaires

En plus des vitamines et des sels minéraux, les aliments d'origine végétale contiennent d'autres éléments très utiles : des substances bioactives, des fibres et des substances végétales secondaires. Ces dernières regroupent les pigments, les parfums et les arômes ainsi que des hormones, substances également très importantes dans le règne végétal.
Ce qui réussit aux plantes fait également du bien aux humains. Les

chercheurs ont fait des découvertes très intéressantes concernant les substances végétales secondaires. Caroténoïdes, polyphénoles, phytohormones et autres phytostérines produisent naturellement sur notre organisme les mêmes effets que certains médicaments. Ils représentent donc un immense espoir pour toutes celles qui souhaitent conserver santé, vitalité et beauté. Bon nombre de ces substances sont notamment capables de contrebalancer l'effet des radicaux libres et peuvent ainsi prévenir le vieillissement prématuré. En outre, elles renforcent le système immunitaire, diminuent le risque de maladies cardio-vasculaires, comme l'infarctus du myocarde ou l'artériosclérose, et préviennent le développement des tumeurs. Les phytohormones, quant à elles, ont un effet particulièrement bénéfique sur l'aspect de la peau. Dans la nature elles sont chargées de réguler les processus de maturation, de croissance et de sénescence des végétaux. Aussi, en aidant nos propres hormones ou en prenant leur relais, ces substances ont-elles le pouvoir de retarder le flétrissement cutané. Il a été prouvé que la génistéine contenue dans les fèves de soja et les stérols du shii-také, (champignon), produisent des effets similaires à ceux de l'œstrogène. Ainsi trouve-t-on maintenant dans le commerce quantité de crèmes pour le visage et le corps

Les substances végétales secondaires contrebalancent l'effet s radicaux libres et préviennent les maladies rdio-vasculaires.

En raison de sa forte teneur en phyto-œstrogènes, le thé vert est la boisson anti-âge par excellence.

contenant des substances végétales secondaires dont l'action bénéfique sur la peau, à partir de 35 ans, a été prouvée. Mais la phytoprotection fonctionne également très bien en usage interne :

- Le soja contient de la génistéine, substance analogue à l'œstrogène.
- Les graines de lin fournissent différentes phyto-œstrogènes.
- Le shii-také renferme des stérols, qui, à l'instar de l'œstrogène, favorisent le renouvellement cellulaire de la peau.
- Le thé vert contient beaucoup de phyto-œstrogènes.

La complémentation — quand et comment ?

Beaucoup de gens se demandent à l'heure actuelle s'il n'est pas néces-

Aliments anti-âge

Substance	Source	Dosage recommandé*
Vitamine A/ bêta carotène	Fruits et légumes rouges et jaunes ; tous les choux, y compris le brocoli ; légumes-feuilles vert foncé comme les épinards ; laitues et chicorées ; patates douces ; piments ; baies ; raisins secs ; huile d'olive.	0,8-1,1 mg ER/j*
Vitamine B6	Huile de germes de blé ; avocats ; fèves de soja ; patates douces ; poissons de mer gras ; fruits de mer.	1,2-1,5 mg
Vitamine C	Agrumes ; kiwis ; baies ; papayes ; goyaves ; cynorhodons ; argousiers ; raisins secs ; poivrons ; piments ; tous les légumes verts, y compris la salade ; tous les choux ; choucroute ; tomates ; carottes ; pommes de terre ; patates douces ; oignons ; persil.	100 mg
Vitamine E	Graines de lin ; huiles de poisson ; huiles végétales ; huile de germes de blé ; fruits à coque ; pignons de pin ; graines de tournesol ; fèves de soja et produits dérivés ; brocolis ; légumes verts ; tomates ; scorsonères ; patates douces ; avocats ; raisins secs ; œufs ; fruits de mer ; poissons de mer gras ; tripes et abats.	13 mg
Acide folique	Légumes verts, y compris la salade ; brocolis ; agrumes ; betteraves ; tomates ; fèves de soja ; légumineuses ; fruits à coque ; huile de germes de blé ; blé complet ; levure de bière ; foie ; lait.	0,4 mg
Calcium	Lait et produits laitiers ; fèves de soja ; pain complet ; fruits à coque ; légumes verts ; brocolis ; oranges ; bananes ; abricots et figues secs ; poissons à chair blanche ; poissons de mer gras ; levure de bière ; huile d'olive.	1-1,2 g
Magnésium	Fèves de soja ; légumineuses ; légumes verts, y compris la salade, bananes ; fruits secs ; fruits à coque ; blé complet ; lait et produits laitiers ; fruits de mer.	300-400 mg
Sélénium	Noix du Brésil ; graines et huile de tournesol ; poissons de mer gras ; fruits de mer ; viande ; œufs ; levure de bière ; ail ; légumineuses ; céréales complètes.	30-70 µg
Zinc	Artichauts ; brocolis ; poissons de mer gras ; fruits de mer ; yaourts ; amandes ; huile de germes de blé.	0,7-10,0 mg
Acides gras oméga 3	Fruits de mer ; poisson de mer gras ; fèves de soja ; huile de germes de blé.	1,1-1,3 g

* par la DGE (Deutsche Gesellschaft für Ernährung [Association allemande pour l'alimentation])
* = équivalent-rétinol par jour

saire, pour conserver sa vitalité, de consommer des préparations fortement dosées en vitamines et sels minéraux. La réponse est clairement non, car une alimentation saine et équilibrée, riche en fruits et en légumes frais, doit normalement suffire à couvrir les besoins d'une personne en bonne santé. Les spécialistes du vieillissement et les médecins dénoncent souvent la consommation frénétique de compléments alimentaires à laquelle on assiste depuis quelques années ; selon eux, la complémentation doit répondre à des carences avérées. Aussi, pour savoir ce qu'il faut prendre et selon quel dosage, il est indispensable de procéder à des examens sanguins détaillés.

L'eau — élixir de vie

Non seulement l'eau est indispensable au fonctionnement de nos organes, sans exception, mais elle protège aussi efficacement notre

ATTENTION

Café et thé ne doivent pas être pris en compte dans le calcul des apports journaliers en eau, car ils sont diurétiques et ont donc un effet plus desséchant que déshydratant. C'est pour cela que dans certains pays, comme l'Italie ou l'Autriche, on sert toujours un verre d'eau avec le café.

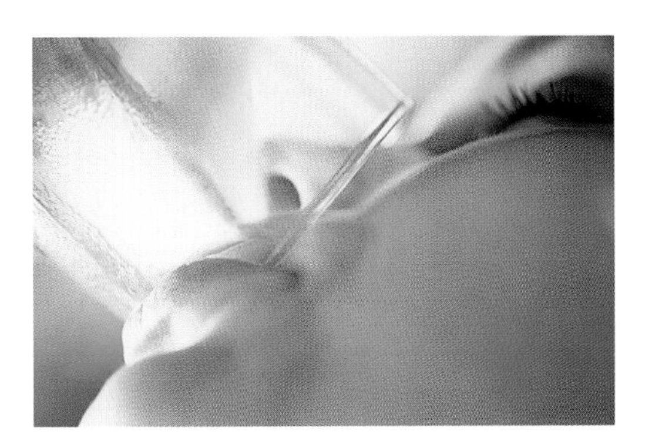

Pour prévenir le dessèchement cutané, buvez deux ou trois litres d'eau par jour.

peau contre le vieillissement prématuré, ce qui en fait le produit de beauté le plus simple qui soit. Le corps humain se compose à 60 % de cet élément, dont une grande quantité se trouve stockée dans le tissu conjonctif sous-cutané. En cas d'apport journalier insuffisant en eau, une partie de ce liquide devra être détournée par l'organisme pour permettre au métabolisme de fonctionner. À cela s'ajoute qu'au fil du temps les fibres de collagène perdent leur pouvoir de conservation de l'eau. Le dessèchement cutané finit par se remarquer aux rides de plus en plus nombreuses, car ce sont les cellules gorgées d'eau qui donnent à la peau son aspect lisse et tendu. Pour limiter l'ampleur de ce phénomène, il suffit de boire chaque jour deux ou trois litres d'eau. Pour cela, n'attendez pas d'avoir soif, car les cellules commencent à souffrir de déshydratation bien avant que cette sensation n'apparaisse. Le mieux est de boire régu-

Nectar d'immortalité

L'*Ayurveda*, science de la vie et médecine traditionnelle indienne, considère l'alimentation comme un élément à part entière de son arsenal thérapeutique. Selon cette doctrine, de nombreux aliments sont à la fois nourriture, médicament et élixir de beauté. Ainsi en va-t-il des *Rasayana*, compléments alimentaires ayurvédiques. Ces préparations sont considérées comme de véritables nectars d'immortalité, car elles augmentent les performances, renforcent le système immunitaire et ralentissent le processus de vieillissement. Obtenus à partir de diverses plantes médicinales et minéraux, les *Rasayana* se prennent quotidiennement en complément d'une alimentation normale. L'*Ayurveda* tient également en haute estime le yaourt, le miel et le lait, autant de produits couramment utilisés chez nous comme élixirs de santé et de beauté. Les *Rasayana* sont vendus dans certaines pharmacies.

lièrement, tout au long de la journée. Par eau, nous entendons bien sûr aussi les infusions d'herbes et de fruits ainsi que les jus.

Nourrir la matière grise

Notre capacité d'attention et de concentration dépend en grande partie de la quantité de neurotransmetteurs dont nous disposons pour faire passer l'information d'une cellule nerveuse à l'autre. Pour produire ces éléments en nombres suffisants, notre système nerveux a besoin d'une nourriture appropriée. En cas de carence, nos facultés intellectuelles baissent rapidement. Les nutriments les plus aptes à entretenir notre matière grise sont :

- La lécithine — contenue dans les fèves de soja, le poisson, les fruits à coque, le yaourt et le babeurre.
- La glutamine — contenue dans le lait, les produits à base de soja, le blé et le maïs.
- La tyrosine — contenue dans le poisson, les fruits de mer, les œufs, le fromage et le yaourt.
- La vitamine B6 — contenue dans le riz, tous les choux, les légumineuses, les fèves de soja, les pommes de terre, les fruits à coque, le poivron, les bananes, l'avocat, le poisson, les fruits de mer et la volaille.
- La vitamine B12 — contenue dans le foie, le poisson, la volaille, les viandes de bœuf et de veau, le lait et les produits laitiers.

Du sport contre le vieillissement

Faire travailler ses muscles prévient le relâchement cutané.

Il ne s'agit nullement là d'une légende, mais bien d'une vérité établie : l'exercice régulier ralentit le compte à rebours. Le sport ne peut, bien sûr, pas arrêter le processus de vieillissement, mais il peut tout du moins le freiner. En fait, notre corps réagit à l'effort modéré par une consommation accrue d'oxygène et une meilleure irrigation des cellules et des tissus, qui reçoivent par conséquent plus de nutriments. Muscles, articulations et os profitent naturellement de cette situation, mais aussi la peau. Celle-ci prend alors une teinte rosée, immanquablement perçue comme signe de bonne santé, et se retend sous l'action de l'oxygène qui augmente le volume des cellules cutanées. L'entretien musculaire évite, de surcroît, le relâchement prématuré de la peau ainsi que la déformation du corps. Faire régulièrement de l'exercice permet, en outre :

- La production accrue par l'organisme d'antioxydants.
- La limitation des radicaux libres (voir page 10).
- L'activation du système immunitaire.

La pratique régulière d'une activité physique donne également plus de ressort pour faire face aux problèmes de la vie quotidienne : ce qui détend le corps apaise également l'esprit. De même, une mobilité physique accrue s'accompagne toujours d'une plus grande souplesse intellectuelle. L'activation de la circulation sanguine par le travail musculaire permet une meilleure alimentation du cerveau en oxygène et en nutriments. Il s'ensuit une amélioration moyenne des facultés intellectuelles de l'ordre de 13 à 20 %. Le sport a donc un effet bénéfique, non seulement sur le corps, mais aussi sur la matière grise.

Par ailleurs, les exercices de gymnastique, le stretching ou le yoga, incitent le système nerveux sensori-moteur à créer de nouvelles zones de contact neuronal. Le réseau reliant les cellules nerveuses entre elles se resserre et le nombre de neurotransmetteurs augmente.

Une activité sur mesure

Si vous ne prenez pas de plaisir à la pratique d'une activité physique

La course à pied peut se pratiquer partout, seul ou en groupe, et pour presque rien.

Conseil

Pour ralentir le vieillissement on recommande généralement de brûler au moins 1 500 kilocalories par semaine en faisant du sport. Veillez toutefois à ce que vos dépenses énergétiques ne dépassent pas les 3 500 kilocalories hebdomadaires, ce qui pourrait donner l'effet inverse à celui recherché.
Pour atteindre le chiffre magique de 1 500 kilocalories, vous avez le choix entre les solutions suivantes :

- 2 heures et demie de jogging,
- 3 heures et quart de vélo,
- 4 heures et 40 minutes de marche à pied,
- 2 heures de natation ou
- 3 heures de tennis.

ou si vous sentez que la motivation n'y est pas, les bénéfices que vous en retirerez seront deux fois moindres et votre assiduité ne sera que de courte durée. Aussi est-il très important de choisir un sport adapté à votre constitution et à votre personnalité. Pour le savoir, il n'y a qu'une solution : essayer. Le choix sera automatiquement restreint par vos préférences personnelles : si pour vous l'eau est tout juste bonne à se laver, vous exclurez probablement d'emblée la natation et le surf.
Laissez-vous tenter par trois ou quatre disciplines et comparez-les. Vous verrez rapidement lesquelles répondent le mieux à vos besoins et à vos attentes, vous apportent le plus de satisfactions et s'intègrent le mieux à votre emploi du temps.

Si vous préférez les séances collectives, inscrivez-vous dans une salle de sport près de chez vous.

En forme en un clin d'œil

Une façon à la fois sûre et efficace de se dépenser est de faire des exercices de gymnastique chez soi : vous gagnerez ainsi en temps et en confort. Pas de sac à préparer, tout à portée de main, et nul besoin de quitter la maison… difficile de trouver un prétexte pour sauter une séance.
Les exercices ci-après ne demandent aucun matériel et peuvent être effectués aussi bien chez soi qu'en déplacement ; ils ont pour but de renforcer les muscles et le tissu conjonctif du ventre, des cuisses et des fesses, ainsi que de prévenir la cellulite. Ils ont été spécialement conçus par le professeur américain Joseph Pilates afin de

faire travailler les muscles, sans augmenter la masse corporelle globale, et de stimuler sans stresser. De nombreuses stars du show-business ne jurent plus que par cette méthode. Essayez-la vous-même !

Raffermir les cuisses, lutter contre la cellulite

- Allongez-vous sur le côté, un bras au sol fléchi, tête dans la main ; bassin, dos et bras alignés. Posez l'autre bras devant vous, à hauteur de poitrine, paume à plat sur le sol.
- Ramenez ensuite vers vous la pointe du pied posé au sol, et contractez fessiers et abdominaux. Levez la jambe du dessus, pied flex, et faites dix petits cercles vers l'arrière.
- Changez de sens.
- Pour augmenter la difficulté rien ne vous empêche de passer des lests autour de vos chevilles (1 kg).

⏲ Faites dix séries dans un sens puis dans l'autre, de chaque côté, et recommencez une dernière fois depuis le début.

Sculpter les fessiers

- Allongez-vous sur le dos, jambes fléchies, pieds à plat par terre, bras le long du corps et paumes vers le sol.
- Montez le bassin, tout en expirant et en contractant les abdominaux.
- Tendez une jambe vers le plafond, sans bouger le bassin, et ramenez-la le plus possible vers vous sans la fléchir.
- Une fois arrivée à votre maximum, tirez la pointe du pied vers vous et redescendez tout doucement la jambe tendue vers le sol sans la reposer.

- Sur une grande inspiration, montez encore une fois la jambe en essayant à nouveau de la ramener le plus possible vers vous.

⏲ Faites ce mouvement trois fois de chaque côté, reposez-vous un instant et répétez l'exercice trois fois.

Renforcer les abdominaux

- Allongez-vous sur le dos, jambes fléchies, bras le long du corps et paumes vers le sol.

- Tendez les deux jambes vers le plafond. Tout en inspirant, montez lentement le buste en prenant la force dans vos abdominaux. Gardez la tête dans le prolongement de la colonne vertébrale.
- Éloignez un peu les jambes et montez les bras. Regardez droit devant vous.
- Gardez la position quelques secondes, puis redescendez les bras, déroulez le haut du dos et relâchez la contraction abdominale.

Faites ce mouvement cinq fois.

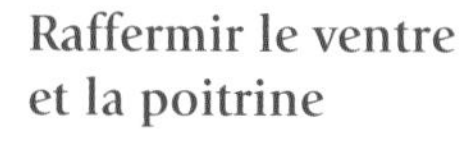

Raffermir le ventre et la poitrine

- Allongez-vous à plat ventre, jambes serrées, pointes légèrement tendues.
- Tournez la tête sur le côté et joignez les mains dans le dos, puis fléchissez les jambes en pressant légèrement chevilles et genoux les un contre les autres. Dans cette position, touchez trois fois les fesses avec les pieds.
- Reposez les jambes au sol et allez ensuite chercher les fesses avec les mains jointes tout en montant légèrement les jambes tendues. Le buste se relève automatiquement et les épaules partent vers l'arrière. Le regard est toujours dirigé vers l'avant — tout votre corps est tendu comme un arc.
- Gardez la position quelques secondes, puis reposez les bras et les jambes au sol.

Faites ce mouvement quatre fois.

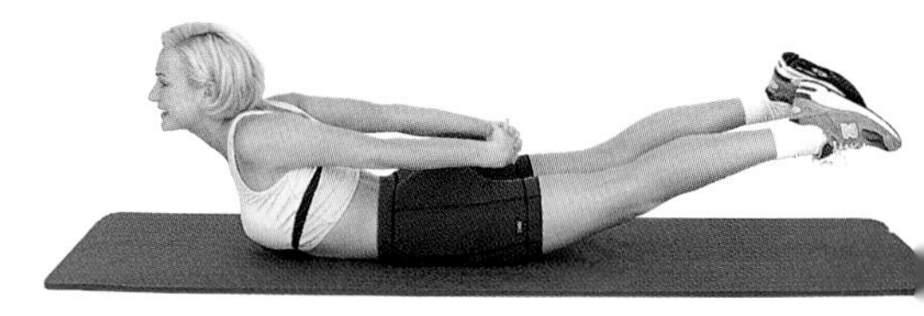

Affiner la taille

- Allongez-vous sur le côté, en appui sur un bras fléchi, jambes et bassin alignés, épaules décontractées.
- Contractez très fort les fessiers et les abdominaux, tout en montant le bassin. Pour cela, prenez la force dans les abdominaux et non dans les épaules. Tout le corps est maintenant parfaitement aligné. La tête se trouve dans son prolongement.
- Tendez le bras au repos au-dessus de la tête tout en regardant la main se trouvant au sol.
- Reposez doucement le bassin et ramenez le bras, puis

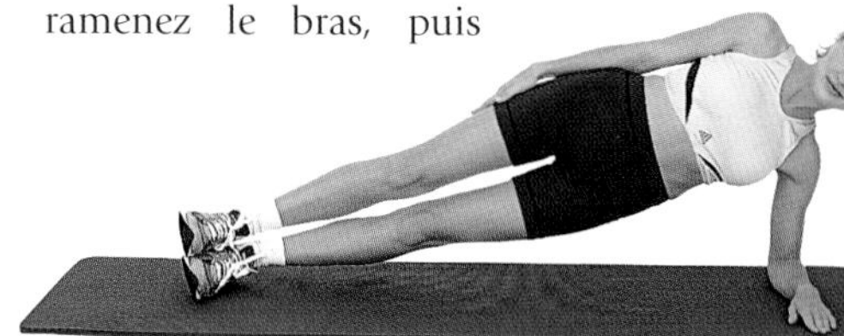

faites le même mouvement de l'autre côté.

Faites l'exercice cinq fois de chaque côté.

Exercices « impériaux » de rajeunissement

Il nous vient de l'Empire du Milieu une série d'exercices conférant à qui les exécute régulièrement « santé, vigueur, souplesse et longévité ». Ils furent conçus à l'intention des empereurs chinois pour les aider à maîtriser leur force physique, car celui qui atteint et conserve l'équilibre énergétique reste jeune plus longtemps — aussi bien physiquement que mentalement. En fait, ces exercices font travailler non seulement les muscles, mais également la capacité de concentration et les facultés intellectuelles.

Concentrer l'énergie pour trouver la paix

- Placez-vous debout, jambes légèrement écartées, pieds parallèles, genoux verrouillés. Concentrez-vous sur « Mer d'énergie », point d'acupuncture situé juste en dessous du nombril.
- Joignez vos mains paume contre paume et montez les bras au-dessus de la tête. Inspirez et, sur l'expiration, redescendez les bras à la hauteur du nez.
- Dirigez le bout des doigts vers le bas et écartez les mains. Sur l'inspiration remontez les bras au-dessus de la tête et joignez à nouveau les mains.

Faites ce mouvement huit fois.

« Oiseau en vol » améliore la mobilité

- Restez debout, écartez les jambes de la largeur du bassin et faites porter le poids de votre corps sur la jambe droite.
- Imaginez que vous tenez devant vous un ballon. La main droite se trouve au-dessus, et la gauche en dessous.
- Tournez la tête vers la gauche et tournez le ballon de manière à ce que la main gauche se trouve maintenant au-dessus. Ce faisant, faites passer le poids du corps sur la jambe gauche et tournez la tête vers la droite.

Faites la même chose dans l'autre sens, et répétez l'exercice en tout huit fois.

Activation lombaire — pour renforcer le bas du dos

- Toujours debout, pieds joints, joignez les mains dans le dos environ à la hauteur des reins. Vos index et vos pouces forment un losange, les phalanges de vos majeurs se touchent.
- Penchez-vous vers l'arrière en gardant la tête dans le prolongement du corps et regardez devant vous vers le haut.
- Relâchez.

Faites ce mouvement huit fois.

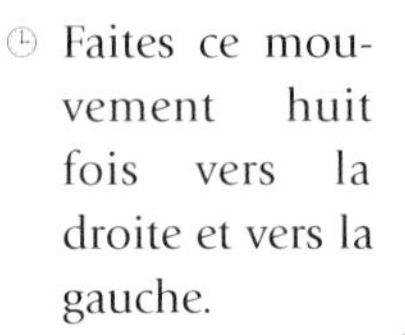

Le « Dragon volant » — pour dénouer vertèbres et muscles

- Debout, pieds joints, posez les paumes l'une contre l'autre au niveau de la poitrine. La pointe des doigts est dirigée vers le haut, les coudes sont écartés.
- Dans cette position, faites de grands mouvements de bras vers le haut et vers le bas, comme si vous étiez un dragon volant…

Faites ce mouvement de va-et-vient huit fois.

Des cercles sur le sol — pour puiser l'énergie à la source

- Écartez les jambes de la largeur des épaules et faites un pas vers l'avant. Pour cela fléchissez un pied, levez la jambe puis reposez-la doucement. Le pied de derrière se place en ouverture.
- Avec les bras, faites des cercles à hauteur de la poitrine — un vers la gauche, un vers la droite. Les coudes sont écartés, les paumes dirigées vers le sol.

Faites ce mouvement huit fois vers la droite et vers la gauche.

Jeune d'esprit

La jeunesse n'est pas une question d'âge : Picasso n'affirmait-il pas à ce propos : « Il faut avoir vécu très longtemps pour être jeune » ? et il savait de quoi il parlait, lui qui mourut à 91 ans, jeune d'esprit et de cœur. En fait, la vitalité et le pouvoir de séduction d'un individu dépendent bien moins de son âge que de sa disposition d'esprit. Autrement dit, contrairement à l'âge biologique, l'âge mental n'est en rien tributaire du temps. Or, l'âge que vous avez l'impression d'avoir et que l'on vous donne dépend en grande partie de l'attitude que vous avez par rapport à l'existence et au monde extérieur. C'est pourquoi la beauté du visage passe aussi par un travail sur soi : parmi les rides d'expression, vous ne conserverez que celles imprimées par le rire. Les autres, celles de la tristesse et de la colère, s'effaceront d'elles-mêmes ou n'auront même jamais l'occasion d'apparaître.

L'état d'esprit — un élément clé

Si l'on se fixe à soi-même des limites d'âge et qu'à partir d'un certain moment on se considère comme trop vieux pour faire un certain nombre de choses, il n'y a pas à s'étonner que l'on vieillisse plus vite au regard des autres. Or, en principe, tout est faisable à tout âge du moment que l'on a la santé physique et mentale et que l'on est prête à faire de nouvelles expériences. C'est donc, en grande partie, de votre état d'esprit que dépend votre « date de péremption ». Essayez d'envisager le fait de vieillir comme une chose naturelle et la vieillesse, sans incapacité, comme une période de la vie où l'on peut se permettre des choses que l'on ne pouvait pas faire auparavant pour des raisons de temps ou d'argent. Ne considérez pas les marques du temps comme des signes de décrépitude ou la manifestation de plus en plus patente de l'avancement inexorable du compte à rebours, mais plutôt comme les témoins précieux de votre histoire personnelle, celle qui fait de vous un individu

Le rire est le meilleur remède contre le vieillissement.

La théorie des « prophéties auto-réalisatrices (terme consacré) » n'est pas une vue de l'esprit. La tendance qu'ont nos appréhensions à se réaliser est beaucoup plus marquée qu'il n'y paraît. Ce que nous éprouvons à l'égard d'une situation ou d'une personne est tout à fait perceptible. L'expression de notre visage et notre comportement nous trahissent. Il n'y a dès lors rien d'étonnant à ce que l'environnement, au sens large, réagisse en conséquence.

unique. Comme l'a très joliment formulé un poète : « Tels les cercles inscrits dans le bois des arbres, nos rides sont le symbole d'une force vécue ».

La force des pensées positives

Bonnes ou mauvaises, les attentes ont tendance à se réaliser.

À quoi avez-vous pensé durant les cinq minutes qui viennent de s'écouler ? À quelque chose d'agréable ? Ou peut-être étiez-vous en train de ruminer quelque avanie passée. Dans ce dernier cas, vous vous trouvez en zone de risque : les pensées négatives, qu'il s'agisse de regret, de colère ou de peur, ont tendance à saper le moral, à affaiblir le système immunitaire et à faire vieillir avant l'âge. Les « passions tristes », comme on disait du temps de Descartes et de Spinoza, provoquent la production par notre organisme de neuropeptides hautement toxiques et font monter dangereusement notre taux d'adrénaline. La nervosité s'installe, nous souffrons d'une irritabilité croissante et notre système de défense contre les antioxydants et les agents pathogènes laisse de plus en plus à désirer. À l'inverse, les pensées agréables et les « passions gaies » stimulent les mécanismes d'autoguérison de l'organisme, renforcent le système immunitaire et entretiennent notre vitalité : les optimistes sont d'éternels jeunes gens.

Une vision optimiste de la vie permet de rester jeune plus longtemps.

Alors, chassez vos idées noires et adoptez une attitude plus positive face à l'existence. Facile à dire, penserez-vous. Oui, mais le jeu n'en vaut-il pas la chandelle ?

Se voir jeune

Le manque de mémoire n'existe pas : il s'agit simplement d'un manque d'entraînement. Tel un muscle, qui sans exercice s'atrophierait, le cerveau demande à être stimulé en permanence. Pour garder toutes nos facultés mentales jusqu'au bout, il faut rester active intellectuellement, continuer à se tenir informée, à réfléchir et à créer. La science a montré que notre principal centre de commande peut être activé et réorganisé à n'importe quel âge ; aussi, le déclin des facultés mentales est-il souvent à mettre sur le compte d'un manque de sollicitation ainsi que d'une tendance anxieuse et dépressive. Si nous l'entraînons suffisamment, il n'y a aucune raison pour que notre mémoire flanche.

Gymnastique mentale

Albert Einstein, qui était bien placé pour en parler, considérait l'imagination comme plus importante que les connaissances. Cela est en tout cas certain en ce qui concerne le vieillissement. Il a, en effet, été prouvé que l'imagination, la créativité et la curiosité intellectuelle favorisent le maintien des facultés mentales et de la mémoire. La tenue d'un journal, la lecture et la pratique d'une activité artistique sont d'excellents moyens pour ne rien perdre de sa vivacité d'esprit. Lire stimule, en outre, la production d'endorphine, hormone de bien-être, et permet un bon équilibre entre les deux hémisphères cérébraux.

Bananes, noix, miel et yaourts bio stimulent les fonctions cérébrales

Pour faire travailler votre matière grise, vous pouvez aussi :

- résoudre des énigmes ou faire des mots croisés,
- compter mentalement (additionnez par exemple le prix des articles lorsque vous faites vos courses ; en passant à la caisse, vous pourrez juger de vos talents ou de vos progrès),
- compter à rebours à partir de 100 en soustrayant à chaque fois le nombre 7 : 100, 93, 86, etc.

Il existe en outre des exercices spécialement conçus pour améliorer les facultés intellectuelles. En augmentant la capacité de concentration, ils permettent aussi de se détendre et de réduire le stress.

De la vitamine B pour une peau douce

L'amour est indispensable à la conservation de la santé et de la jeunesse. Au-delà de la sexualité, cela concerne aussi toutes les manifestations physiques et verbales d'affection entre deux personnes, quel que soit leur lien. Les chercheurs prennent très au sérieux l'hypothèse selon laquelle le stress psychosocial d'origine conflictuelle et le manque d'affection constitueraient des facteurs de risque important quant au vieillissement prématuré et à la survenue de nombreuses maladies.

Chaleur humaine et intimité préviennent le vieillissement prématuré.

Caresses et paroles réconfortantes ont en effet le pouvoir de réduire considérablement le stress et de stimuler le système immunitaire, ce qui, à terme, transparaît bien évidemment sur l'aspect de la personne qui en bénéficie de manière régulière.

Faire l'amour plutôt qu'un lifting

D'après une étude britannique, il existerait un lien entre la fréquence des orgasmes et l'aspect juvénile d'une personne passé un certain âge. Avoir trois rapports sexuels aboutis par semaine permettrait de faire cinq ans de moins. Lorsque nous éprouvons un plaisir d'ordre érotique, notre organisme produit des endorphines en grande quantité. Ces substances hormonales agissent comme l'opium. Elles atténuent la douleur et diminuent les effets néfastes du stress.

Véritables hormones de bien-être, les endorphines combattent le stress.

Remonter son horloge biologique par le repos

Un deuil, une procédure judiciaire interminable, un divorce difficile, voilà autant d'épreuves psychologiques courantes qui réclament énormément d'énergie, et peuvent nous coûter plusieurs années de notre vie — jusqu'à huit selon les spécialistes du vieillissement. De fait, le stress et le surmenage ont pour effet d'affaiblir notre système immunitaire, de favoriser la formation de radicaux libres et de faire perdre à notre peau sa souplesse et son élasticité. Dormir suffisamment, se détendre et éviter l'exposition au stress peuvent, en revanche, nous aider à remonter notre horloge biologique.

Durant le sommeil, tout l'organisme se régénère.

Dormir pour rester belle

Dans presque toutes les cultures, le sommeil est considéré comme un véritable élixir de beauté et d'équilibre psychologique. Pendant que nous dormons, tout notre organisme, système immunitaire et peau compris, se détend et se régénère. Le corps endormi libère en outre, par poussées, des hormones de croissance responsables du renouvellement cellulaire : durant la nuit, nos cellules se divisent en effet deux fois plus vite que de jour. C'est également durant notre sommeil que nous faisons le plein de cellules défensives. Le manque de sommeil a donc pour conséquence un affaiblissement notoire du système immunitaire. Une personne qui ne dort pas assez sera forcément plus fragile et moins performante intellectuellement.

Sommeil profond — un rôle fondamental

Peu après l'endormissement, nous sombrons dans un sommeil profond particulièrement bénéfique en termes de beauté. C'est en effet durant cette phase que nos cellules se réparent le mieux et que nos pores se dilatent suffisamment pour recevoir un maximum d'oxygène. C'est juste avant minuit que la régénération cutanée est la plus efficace. Selon des chercheurs de l'Université de Toronto, nos cellules cutanées atteignent un pic de renouvellement aux alentours de 23 h 30, à supposer que nous soyons en train de dormir.

Après une nuit blanche, le nombre des cellules défensives chez une personne en bonne santé se trouve déjà diminué d'environ 30 %.

Sommeil perturbé

Le pouvoir réparateur du sommeil ne dépend pas uniquement du nombre d'heures que l'on dort, mais aussi et surtout de la durée des phases de sommeil profond que nous traversons. Un sommeil perturbé en est souvent dépourvu.

5 minutes de sommeil

Konrad Adenauer, chancelier de la République fédérale d'Allemagne, avait l'habitude de dormir brièvement en pleine séance plénière avant de reprendre le cours des débats. En Chine, un sommeil bref et profond était jadis considéré comme l'un des meilleurs moyens pour rester en bonne santé et vivre longtemps. De fait, une mini-sieste de 5 minutes dans le courant de la journée ne pourra que vous faire le plus grand bien. Pour cela, inutile de vous mettre au lit. Asseyez-vous plutôt sur une chaise ou allongez-vous par terre. Fermez les yeux et répétez-vous mentalement un mot qui ne veut rien dire, inventé pour l'occasion. Cela vous aidera à vous détendre et à lâcher prise.
Au début, vous aurez peut-être un peu de mal à trouver le sommeil, mais avec de l'entraînement, vous parviendrez de plus en plus facilement à sombrer momentanément dans l'inconscient. Au bout d'un certain temps, cela se fera quasiment sur commande.

C'est la raison pour laquelle nous nous sentons souvent moulus durant la journée alors même que nous pensions avoir suffisamment

dormi. La même chose vaut pour la peau, et il suffit, au bout d'un moment, de se regarder dans un miroir pour se rendre compte que quelque chose ne va pas.
Ce qui nous prive de sommeil, et plus particulièrement du sommeil profond, ce sont le plus souvent les problèmes et les soucis de la vie quotidienne. Ils nous empêchent de nous détendre complètement durant la nuit, ce qui fait que la journée du lendemain nous paraît encore plus difficile que celle de la veille. Ce cercle vicieux peut toutefois être rompu par la suppression de certaines causes. Les troubles du sommeil sont souvent dus :

Le manque de sommeil fait vieillir prématurément

- à un taux élevé d'adrénaline : il convient alors, le soir venu, de neutraliser cette hormone de stress en prenant par exemple un bain additionné d'herbes aux effets décontractants, comme la mélisse ou la lavande, ou de quelques gouttes d'huile essentielle de santal ; en se massant doucement les pieds ; en faisant du sport en fin d'après-midi ; en faisant une petite promenade ; en lisant ou en écoutant de la musique délassante ;
- à un repas trop riche et trop tardif : l'appareil digestif se trouve alors surmené et nous ne parvenons pas à trouver le sommeil. Évitez tout particulièrement les aliments crus, car leur digestion exige de l'estomac beaucoup d'effort ;
- à la consommation de boissons contenant de la caféine passé 17 h 00 : la caféine du thé (= théine) met particulièrement longtemps à faire effet et peut très bien nous priver de sommeil jusqu'à une heure avancée de la nuit.

Marquer une pause chaque jour

Vous connaissez certainement cette situation. Votre journée a été pleine de rendez-vous et de courses en tout genre. Tout s'est bien passé, mais vous avez l'impression que le temps a filé à toute allure et vous a comme échappé. Vous vous sentez pareille à un hamster dans sa roue, toujours en train de courir sans vraiment savoir pourquoi.
Vous pouvez changer cela en faisant chaque jour une pause bien marquée. Ce « break » vous permettra de décompresser, d'oublier momentanément vos impératifs familiaux et professionnels, et surtout de mieux percevoir le moment présent en sa qualité de maillon unique dans la longue chaîne de votre vie.

La relaxation active permet de rompre le cercle vicieux.

Ces petites « fugues » peuvent être très brèves : juste le temps de faire le tour du pâté de maison, de vous assoupir cinq minutes ou de prendre un expresso au café du coin. Le coût

Petite pause sur un banc public...

de cet « instant volé » est inversement proportionnel au gain que vous en retirerez en termes de joie de vivre et de bien-être.

Un îlot de tranquillité au milieu du stress

Afin de profiter pleinement de votre début de journée, mettez votre réveil une demi-heure plus tôt et prenez un bon petit-déjeuner sans vous presser. Plutôt que de vous rendre directement de chez vous à votre lieu de travail, faites une petite halte dans un café que vous aimez ou promenez-vous dans un parc. Vous pouvez faire de même le soir en rentrant. Dans ce cas, un tour en vélo est idéal pour vous aérer l'esprit. Plus tard dans la soirée, mettez-vous au lit deux heure plus tôt que d'habitude avec un bon roman ou un magazine, écoutez de la musique délassante et buvez une tisane. Cela vous permettra de faire le vide avant de vous endormir.

Pour vous détendre activement, vous pouvez essayer le training autogène. Cette méthode de relaxation est maintenant couramment enseignée et vous trouverez en librairie différents manuels qui faciliteront vos premiers pas. Par ailleurs, le « procédé de décontraction musculaire progressive », conçu par Jacobson est une méthode simple et efficace. Elle consiste à contracter, puis à relâcher certains muscles de manière à détendre petit à petit tout le corps. Vous trouverez également plusieurs ouvrages à ce sujet.

Se relaxer en quelques gestes

Les personnes qui entreprennent de lutter activement contre le stress sont souvent obligées de constater que les techniques couramment proposées, au lieu de produire les effets escomptés, ne font qu'ajouter un stress supplémentaire à la vie de tous les jours, ce qui n'est évidemment pas le but de la relaxation ! Aussi les petits exercices ci-après vous permettront-ils de vous libérer rapidement de vos tensions et de recharger vos batteries dès que le besoin s'en fera sentir.

Par ailleurs, les massages, seule ou à deux, sont particulièrement recommandés pour alléger le poids du quotidien et effacer les effets du stress sur la peau.

Le Prana Yama — pour équilibrer votre respiration

Cet exercice respiratoire préconisé par l'*Ayurveda*, médecine indienne traditionnelle, est idéal pour se requinquer entre deux efforts de concentration, car il augmente la teneur en oxygène de l'organisme. Lorsque vous vous sentez au « point mort » et qu'il vous faut vous ressaisir rapidement, vous pouvez exécuter un Prana Yama n'importe où et à tout moment.

Asseyez-vous sur une chaise, le dos

Le Prana Yama aide à recharger les batteries.

bien calé, ou bien en tailleur sur le sol. Bouchez-vous la narine droite avec le pouce droit et inspirez lentement par la narine gauche. Une fois arrivée au bout de l'inspiration, bouchez-vous la narine gauche avec l'annulaire, libérez la narine droite et expirez lentement. Inspirez cette fois par la narine droite, puis bouchez-la avec le pouce, libérez la narine gauche et expirez.

- Respirez ainsi pendant trois minutes en alternant narine droite et narine gauche.

Points de sédation…

En cas de nervosité et de tensions, la médecine chinoise peut être d'un grand secours. L'acupression digitale consiste à manipuler du bout des doigts certains points d'acupuncture afin de réguler les éner-

gies dans la sphère psychique et de rétablir l'équilibre émotionnel.
Les points suivants sont des points de sédation. Leur manipulation permet de se détendre rapidement et, ainsi, de mieux faire face au stress.

- Creux du vallon
  Appuyez avec le pouce et l'index sur la dépression située entre le pouce et l'index de l'autre main.
- Porte de l'Esprit
  Ce point se trouve directement sur le pli du poignet, dans l'axe de l'auriculaire.
- Grande élévation
  Situé exactement au milieu du pli du poignet, ce point est particulièrement indiqué en cas d'agitation ou de choc émotionnel.

⌚ Pressez chacun de ces points pendant une minute.

Recharger vos batteries en quelques minutes

Les exercices suivants sont pour votre corps et votre esprit comme de petites vacances : vous pouvez les effectuer chez vous comme au bureau.

- Asseyez-vous fessiers sur les talons, dos parfaitement droit. Croisez les bras complètement en serrant fort de manière à toucher les omoplates avec les mains. Lâchez prise, laissez tomber les bras et étirez-les au maximum vers l'arrière en ouvrant la cage thoracique.

⌚ Faites ce mouvement dix fois.

- Allongez-vous sur le dos, jambes fléchies et mains jointes derrières la tête. Laissez tomber les genoux sur la gauche en tournant la tête vers la droite, ramenez genoux et tête au centre, puis faites la même chose dans le sens opposé.

⌚ Faites ce mouvement dix fois de chaque côté.

Méthode tibétaine pour le bureau

Cet exercice calme les nerfs éprouvés, aide à recharger les batteries et permet en plus de soulager le mal de dos.

La chaise de bureau peut également servir à la relaxation.

Asseyez-vous sur le bord d'une chaise, mains en appui derrière les fessiers, bout des doigts dirigé vers l'arrière.

Penchez la tête vers l'arrière tout en appuyant fort avec les mains sur le siège. Conservez la position 30 secondes en respirant profondément et de manière concentrée, puis redressez-vous.

⌚ Répétez ce mouvement trois fois.

Des parfums pour les nerfs à vifs

Par l'intermédiaire du système lymphatique (partie du cerveau située entre le tronc cérébral et l'encéphale), les huiles essentielles peuvent avoir une influence stimulante ou harmonisante sur notre psychisme. Pour vous détendre, essayez le benjoin, le ciste, le géranium, l'iris, la lavande, la sauge sclarée, l'orange, la rose, le santal, le tonka, la vanille, le cèdre ou le cyprès. Ces huiles peuvent être diffusées dans l'atmosphère à l'aide d'un brûle-parfum, à raison de 3 ou 4 gouttes dans le réservoir rempli d'eau, ou bien appliquées localement sur la peau, à raison de 4 ou 5 gouttes mélangées à deux cuillers à soupe de support huileux, par exemple de l'huile d'amande ou de jojoba. Servez-vous de la mixture ainsi obtenue pour vous frictionner notamment les tempes, l'intérieur des poignets et la nuque.

Massage des zones réflexes

Qu'il soit effectué sur les pieds ou sur les oreilles, le massage des zones réflexes s'avère toujours très efficace pour lutter contre le stress et pour se relaxer. Il s'agit d'une méthode thérapeutique ne nécessitant aucun matériel ni aucune aide extérieure et pouvant donc se pratiquer n'importe où et à n'importe quel moment. Selon de très sérieuses études et d'après de multiples témoignages, le massage des zones réflexes apaise immédiatement les tensions dues au stress et accroît ainsi les performances et la capacité de concentration. Alors n'hésitez pas à vous y mettre.

Le massage des zones réflexes peut aussi se faire sur l'oreille.

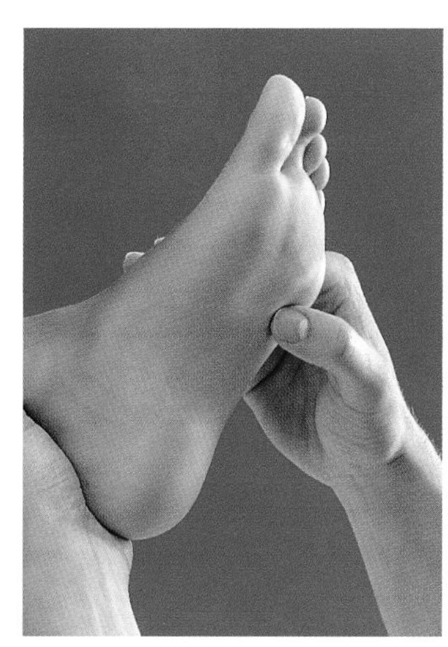

En exerçant une pression sur certaines zones du pied, il est possible de stimuler différents organes et de défaire ainsi les tensions accumulées.

Haro sur les ennemis de la peau

Last but not least : les redoutables ennemis de la peau. Les connaître et leur tenir la dragée haute fait partie des conditions *sine qua non* à la conservation d'une apparence juvénile.

Pour protéger notre peau des manifestations prématurées de l'âge, il nous faut empêcher au maximum la prolifération des radicaux libres et offrir à notre organisme

plus de substances antiradicalaires qu'il n'en produit lui-même.
Parmi les agents à éviter, le soleil figure en bonne place. L'exposition aux ultraviolets provoque en effet la formation en cascade d'ions d'oxygène réactifs dans la peau.

Soleil : le revers de la médaille

Rien ne vaut un teint naturellement halé pour avoir bonne mine et paraître en bonne santé. Outre le bronzage, tant recherché, le soleil nous procure aussi joie de vivre et envie d'aimer, il favorise l'irrigation des tissus et stimule la synthèse de la vitamine D.

On sait aujourd'hui que le vieillissement prématuré de la peau dû au soleil est à mettre sur le compte des ultraviolets.

Pourtant, ce qu'il donne d'une main, le soleil le reprend de l'autre, car ses rayons, et notamment les ultraviolets, représentent un risque majeur pour la santé et la beauté de la peau. Les dermatologues ne connaissent que depuis quelques années tout le danger d'une exposition régulière et prolongée au soleil. Il est en effet aujourd'hui prouvé que le vieillissement prématuré de la peau est à mettre dans bien des cas sur le compte du soleil. Pendant que nous nous prélassons sur notre chaise longue ou sur notre serviette de bain, les rayons ultraviolets déclenchent en nous une avalanche de radicaux libres qui se multiplient à un rythme exponentiel et envahissent toutes les couches de notre peau. Les cellules cutanées s'oxydent, un dérèglement fonctionnel se fait jour et le tissu conjonctif, notamment le collagène, subit des altérations néfastes. La peau perd de son élasticité, épaissit et se ride prématurément. On note aussi l'apparition de taches pigmentaires, autrement appelées « taches de vieillesse » (voir page 78).
L'exposition aux UV a cela de traître que nous n'en percevons les conséquences que longtemps après que les cellules ont commencé à souffrir. Lorsque les premières rougeurs apparaissent, il est déjà trop tard pour intervenir, alors inutile de parler des coups de soleil. Pendant malheureusement trop longtemps, les scientifiques ont cru que les dommages chroniques de la peau liés au soleil

Toute exposition prolongée au soleil fait vieillir la peau.

étaient uniquement dus aux rayons à ondes très courtes, les UVB, effectivement responsables des coups de soleil. Aussi les crèmes de protection solaire n'ont-elles longtemps contenu qu'un filtre à UVB, laissant le champ libre aux UVA, à ondes plus longues. C'était là une erreur fatale, car ce sont les UVA qui pénètrent dans les couches profondes de la peau. Elles y perpètrent des méfaits dont on ne s'apercevra que plusieurs années plus tard, lorsque le tissu conjonctif sera irrémédiablement affaibli et qu'apparaîtront des rides anormalement marquées.
Aujourd'hui presque toutes les protections solaires contiennent un filtre à spectre large, qui protège aussi bien contre les UVB que les UVA. Le produit choisi doit en outre résister à l'eau et présenter un indice de protection suffisant.

Les produits présentant un indice de protection supérieur à 30 ne protègent pas davantage que les autres.

Les lampes à UV sont-elles la solution ?

Le soleil et la chaleur n'étant pas souvent au rendez-vous sous nos latitudes, beaucoup d'entre nous ont pris l'habitude de faire des UV chez elles ou dans un centre, mais cela n'est toutefois pas dénué de risques. Le fait que l'intensité du rayonnement soit réglable et la longueur d'exposition progressive ne doit pas vous dispenser de mettre une protection solaire, car les UV artificiels sont aussi nocifs que ceux émis par l'astre du jour.

Facteurs de risque pour la peau

Les radicaux libres abîment notre peau. Ils sont principalement produits par :

- les rayons ultraviolets
- le tabac
- l'alcool

Quand la beauté part en fumée

Poison insidieux, le tabac nuit non seulement gravement à la santé, mais il fait aussi vieillir plus vite. En rétrécissant les vaisseaux sanguins, la nicotine provoque une diminution considérable de l'irrigation de la peau. L'alimentation en oxygène et en nutriments essentiels des cellules cutanées baisse au profit du monoxyde de carbone (CO). Au bout d'un moment, le visage prend un teint blême et grisâtre caractéristique. La nicotine empêche en outre les cellules cutanées de réparer les dommages subis et de compenser les pertes. La peau devient de ce fait plus sensible aux agressions extérieures et, chose particulièrement néfaste, baisse la garde contre les radicaux libres.
Par ailleurs, le tabac influe également sur les cellules conjonctives. La capacité du tissu conjonctif à produire du collagène diminue et le renouvellement des kératinocytes se ralentit.

Pour se défendre contre les effets négatifs de la nicotine, le corps produit des enzymes spéciales qui, à terme, provoquent un relâchement des fibres d'élastine et un durcissement des fibres de collagène. Le tissu conjonctif perd ainsi plus rapidement sa souplesse.

Pour conserver une peau jeune le plus longtemps possible, mieux vaut donc arrêter de fumer dès maintenant. Or, on sait combien il est difficile de se débarrasser de cette mauvaise habitude, même lorsque la motivation y est. Pour faciliter les choses durant les premières semaines, on recommande souvent l'acupuncture de l'oreille ainsi que les chewing-gums, les crèmes ou les patchs à la nicotine.

Si malgré tous les risques vous ne vous sentez pas prête à arrêter de fumer, vous devriez au moins :

Chaque bouffée produit des milliards de radicaux libres, principaux ennemis de notre santé et de notre beauté.

- faire régulièrement une cure de désintoxication,
- vous protéger, ainsi que votre peau, par la prise à doses élevées de vitamines C et autres antioxydants,
- stimuler l'irrigation de votre peau et augmenter son hydratation.

Alcool — avec modération

« Un petit verre entre amis, ça ne se refuse pas » s'entend-on souvent dire... mais attention tout de même. Il est vrai que le vin rouge contient de nombreuses substances bénéfiques, dont des antioxydants. Le tout est de ne pas en abuser, c'est-à-dire de savoir s'en tenir au premier verre. À plus forte dose, l'alcool nuit à la santé et flétrit la peau prématurément en raison de son effet déshydratant sur l'organisme. La « gueule de bois » que l'on ressent les lendemains de fête n'est rien d'autre qu'un symptôme de déshydratation. Et c'est là la dernière chose dont notre peau a besoin, car qui dit dessèchement dit automatiquement rides (voir page 27).

Recommandations officielles : Pas plus de 0,3 l de vin par jour pour les femmes et de 0,5 l pour les hommes

Par ailleurs, en dilatant les petits vaisseaux cutanés, l'alcool favorise la couperose et fait affluer le sang dans certaines parties du visage, notamment le nez. En outre, la consommation abusive d'alcool provoque une rétention d'eau dans les tissus cutanés, ce qui donne à la peau un aspect tuméfié.

Soins de beauté anti-âge

Après avoir considéré le rôle fondamental de l'hygiène de vie dans la beauté et la jeunesse de la peau, voyons maintenant quels sont les soins les plus appropriés pour entretenir ce capital.
Les produits dont il sera question dans ce chapitre ne peuvent bien sûr pas arrêter le temps, mais ils retardent indéniablement le compte à rebours. Les progrès réalisés dans la connaissance des processus impliqués dans le vieillissement de la peau et la découverte de nouvelles molécules ont permis la mise au point de substances particulièrement efficaces pour paraître plus jeune que son âge.

Comment conserver une apparence juvénile

En plus des cinq éléments fondamentaux que sont une alimentation saine, la pratique régulière d'une activité sportive, le repos, un bon équilibre psychologique et l'évitement des facteurs de risque, il existe aujourd'hui différentes mesures pour rester séduisante malgré l'avancée en âge. Dans la foulée des soins cutanés quotidiens, il est désormais possible de lutter de manière ciblée contre le vieillissement cutané.

Kit complet pour une peau attrayante

Vitamines pour retendre l'épiderme, extraits de plantes pour raffermir le tissu conjonctif, complexe d'acides aminés aux liposomes pour stimuler la production de collagène, microsphères d'AHA (Alpha Hydroxy Acids) pour avoir le teint frais : ce sont là quelques exemples de soins high-tech actuellement proposés, taillés sur mesure pour les besoins des peaux matures. Le fait que ces produits soient à même de restituer à la peau une partie de son élasticité et de sa souplesse ainsi que de la protéger des agressions extérieures n'est plus contesté par grand monde. Ils ne vous donneront certes pas une peau de bébé, mais contribueront de manière significative à prolonger la jeunesse de votre épiderme.

Les composants mentionnés sont vendus en pharmacie, herboristerie magasins bio et magasins diététiques.

Il n'y a toutefois pas de quoi s'emballer, car, contrairement à ce que certains laboratoires cherchent à laisser croire pour des raisons commerciales, le vieillissement reste, et sera probablement toujours, un problème d'actualité. Le boom de la cosmétique anti-âge ne doit pas nous faire oublier que le temps avance inexorablement et qu'il laisse sur le corps et l'esprit des traces indélébiles.

Apparence trompeuse

Tout ce qui se vend en pot ou en tube ne tient pas forcément ses promesses. Il faut surtout se garder de faire l'équation entre prix et efficacité. Il est en effet tout à fait faux de croire que, parce qu'il est cher, un produit est forcément bon. De même, les produits de marque ne sont pas toujours plus efficaces que les autres. Pour ne pas vous laisser berner par une apparence trompeuse, lisez attentivement la liste des ingrédients et prêtez une attention toute particulière au support. Pour tous les produits, cette mixture de base se compose d'eau, d'huile, de cire et d'émulsifiants. Non seulement c'est elle qui prime en termes de poids, mais elle joue aussi un rôle déterminant dans l'efficacité du produit. Si l'étiquette mentionne en tête de liste la présence de substances de deuxième catégorie, notamment des résidus de l'industrie pétrochimique, comme la paraffine liquide, ou des huiles de silicone, comme le cyclométhicone, reposez le tube sur l'étagère et choisissez plutôt un produit à base d'huile naturelle, comme l'huile de ricin (*Ricinus communis*), d'avocat (*Persea gratissima*) ou d'abricot (*Prunus armeniaca*).

L'étiquette doit faire mention de tous les ingrédients ainsi que de leur quantité respective.

Après le support huileux, sont mentionnés les autres ingrédients : principes actifs d'origine végétale, vitamines, agents hydratants et additifs fonctionnels, comme par exemple des gélifiants pour conserver au produit son état liquide.

Lisez l'étiquette

Depuis 1998, une loi européenne oblige les fabricants de cosmétiques à mentionner sur leurs produits la liste complète des constituants selon la nomenclature internationale INCI. Le but de cette nouvelle législation est d'améliorer la transparence et de fournir au consommateur toutes les informations qu'il est en droit d'exiger.

Tout cela est louable, mais pour savoir vraiment ce qu'il achète, le consommateur est quasiment obligé de se procurer un manuel de chimie ainsi qu'un bon dictionnaire de latin. Pour vous y retrouver un peu mieux, vous trouverez à la page 92 un lexique des principaux termes usités en cosmétique, notamment pour les produits anti-âge. Dès que vous saurez parfaitement lire une étiquette, vous verrez que le choix se fait très facilement et pour ainsi dire de lui-même.

La liste des ingrédients ne donne toutefois aucune information précise sur l'efficacité du produit, ce qui ne veut pas dire qu'elle soit nulle. Les fabricants se trouvent ici dans une situation délicate,

« Allô hypoderme, vous m'entendez ? »

Les couches de notre peau communiquent entre elles, c'est un fait établi. Lorsqu'il est assailli par les rayons ultraviolets, notre épiderme envoie des signaux de détresse aux couches cutanées inférieures afin qu'elles lancent la procédure de réparation. L'information est transmise par des substances messagères dont la production diminue progressivement avec le temps. La communication entre les différents composants de notre peau se fait donc de moins en moins bien au fur et à mesure que nous avançons en âge. Les cellules cessent de percevoir les signaux et se trouvent donc dans l'incapacité de se défendre, et c'est là une des raisons du vieillissement cutané. Ces dernières années, les chercheurs ont réussi à reproduire artificiellement certains transmetteurs cutanés et à les intégrer à des cosmétiques.

puisque la loi sur les cosmétiques ne les autorise à commercialiser que des produits agissant superficiellement, c'est-à-dire ne rentrant pas dans la catégorie des médicaments, pour lesquels il faut une autorisation spéciale de mise sur le marché. En tant que consommatrice, il ne vous reste plus qu'à bien vous renseigner pour savoir ce qui répond le mieux aux besoins spécifiques de votre peau. Vous trouverez quelques éléments de réponse dans les pages suivantes.

Une nouvelle génération de cosmétiques

Avec l'arrivée de cosmétiques aux substances actives, c'est une nouvelle ère qui s'est ouverte dans le domaine des produits cosmétiques. Alors qu'autrefois beaucoup de crèmes et lotions perdaient toute efficacité à peine s'en était-on enduit le visage ou le corps, certains produits hydratants ou revitalisants continuent aujourd'hui à faire effet, parfois plus de douze heures après leur application.

Ça vous rentre dans la peau…

L'action en profondeur des nouveaux cosmétiques est rendue possible par des systèmes de transport sophistiqués. Grâce à des « véhicules » spéciaux, les principes agissant contre le vieillissement cutané sont acheminés jusque dans les couches profondes de la peau au travers de minuscules espaces intercellulaires. De cette manière, leur efficacité est beaucoup plus grande que s'ils étaient restés en surface, sur l'épiderme. Ces « véhicules » sont appelés liposomes, oléosomes, nanocapsules ou bien

Les liposomes transportent les principes actifs jusque dans les couches profonde de la peau.

Les liposomes ne sont pas seulement des « véhicules » ; ils ont eux-mêmes un effet bénéfique et protecteur.

encore microsphères. Il s'agit de minuscules billes remplies de substances hydratantes ou stimulantes qui traversent les différentes couches cutanées, libérant leur contenu là où cela est nécessaire. La peau peut ainsi être hydratée à tout moment, recevoir les substances messagères qui lui font défaut ou bénéficier d'un coup de pouce pour la production de collagène. Bien qu'à usage externe, les nouveaux cosmétiques agissent donc de l'intérieur.

Derrière le concept d'action en profondeur se cache une ruse : les substances porteuses, telles que les liposomes, sont constituées de phospholipides dont la structure est en tout point identique à celle des cellules du corps. N'étant donc pas identifiées comme des corps étrangers, elles peuvent atteindre l'hypoderme sans entraves et y décharger leur précieux contenu.

On pourrait donc penser qu'il s'agit là d'une solution idéale pour répondre à tous les besoins de la peau, quel que soit l'âge, mais il y a un hic : la structure délicate des liposomes et du collagène est extrêmement instable et se brise souvent au moment même de l'application, c'est-à-dire bien avant que le produit ait eu le temps d'agir.

Des soins ? Oui, mais naturels...

La nature est l'une des principales sources d'inspiration de la nouvelle cosmétique. Près de 95 % des produits mis au point contiennent des substances végétales.

Différentes molécules, dont certaines agissent comme des hormones, protègent les plantes contre le fanage et le dépérissement. Il s'agit d'un potentiel considérable qui ne demande qu'à être exploité par la cosmétique anti-âge (voir aussi page 57).

Les meilleurs « régénérateurs cutanés »

La *trétinoïne,* également appelée acide rétinoïque, figure tout en haut de la liste des substances anti-âge. Son action régénératrice sur la peau en cas de pathologies telles que l'acné ou le psoriasis est connue depuis longtemps, mais son utilisation dans la prévention et le ralentissement du vieillissement cutané est récente.

La trétinoïne agit contre le vieillissement cutané.

La trétinoïne :

- augmente la capacité des cellules à se diviser ;
- stimule le renouvellement cellulaire, avec pour conséquence un épaississement mesurable de l'épiderme ;
- atténue les petites rides, et peut même supprimer certaines ridules ;
- éclaircit les taches pigmentaires.

En raison de ses propriétés, la *vitamine A* (rétinol) est également prédisposée à servir de régénérateur cutané, car elle :

- favorise le renouvellement cellulaire ;
- provoque un épaississement de l'épiderme qui atténue les rides et autres signes de vieillissement cutané ;
- stimule la production de collagène ;
- améliore l'élasticité et la souplesse de la peau ;
- éclaircit les taches pigmentaires ;
- permet un embellissement global de la peau.

Des vitamines à même la peau

D'autres vitamines et leurs dérivés entrent de plus en plus souvent dans la formule des soins de beauté et des cosmétiques anti-âge. La *vitamine C* neutralise les radicaux libres, stimule l'activité des cellules cutanées, favorise la formation de collagène, raffermit le tissu conjonctif et minimise les rides.

La *vitamine E* assure une protection cellulaire intensive et globale. Antioxydant puissant, elle prévient efficacement le vieillissement prématuré dû aux radicaux libres.

La vitamine E neutralise l'action des rayons ultraviolets.

Le *D-panthénol*, précurseur de l'acide pantothénique, qui appartient au groupe des vitamines B, est de plus en plus souvent utilisé pour lutter contre les effets du vieillissement, car il augmente la capacité de la peau à conserver l'hydratation tout en stimulant la division et le renouvellement cellulaire. Aussi le trouve-t-on dans de nombreuses crèmes et lotions ainsi que dans des shampooings.

Des études récentes ont montré que la *vitamine D* aide, elle aussi, à conserver une peau jeune, car elle favorise la croissance des cellules cutanées, stimule la production de mélanine, pigment grâce auquel la peau se protège des ultraviolets, et active la tyrasinase, enzyme clé dans la protection naturelle contre la lumière du soleil.

La biotine ou vitamine H contribue à une croissance saine des cheveux et améliore sensiblement la qualité des ongles cassants, fendus ou mous.

Les crèmes enrichies en vitamines agissent contre les rides.

Agents hydratants

L'hydratation constitue le B.A.BA des mesures contre le vieillissement. Pour cela, il faut, d'une part, boire chaque jour suffisamment et, d'autre part, soigner sa peau au moyen de produits adéquats. Aussi trouve-t-on parmi les substances anti-âge, aux côtés des antioxydants et des régénérateurs cellulaires, certaines substances capables d'optimiser la capacité de la peau à résorber l'eau et à conserver l'hydratation, car seule une peau suffisamment hydratée peut avoir un aspect juvénile. L'acide hyaluronique et les acides aminés, comme la glycine, l'allantoïne ou l'hypotaurine, font partie des principaux agents hydratants.

L'allantoïne, obtenue par exemple par décoction de germes de blé, d'écorce de marronnier et de racines de consoude, retend la peau, l'assouplit et entretient sa capacité de régénération.

Les agents hydratants retendent la peau.

Comme autres agents hydratants notons aussi le sorbitol, l'eau purifiée, l'émulsion eau-huile-eau servant de support pour les lotions, et l'extrait de pépin de pamplemousse.

L'acidité régénère et retend

Les acides de fruits ont la propriété de rajeunir la couche superficielle de la peau. En l'exfoliant, ils suscitent le renouvellement des cellules, l'épaississement de l'épiderme et le raffermissement du tissu conjonctif. La peau gagne ainsi en souplesse et en élasticité. Ce phénomène est appelé l'effet AHA (Alpha Hydroxy Acids).

L'eau est source de jeunesse pour la peau.

Le bien-fondé des cures exfoliantes est toutefois toujours contesté par de nombreux dermatologues qui mettent en garde contre les concentrations excessives d'acides de fruits. Qui a tort, qui a raison ? C'est ce que montreront bientôt les expérien ces en cours. Une chose est en tout cas d'ores et déjà certaine : les gommages aux acides de fruits sont préférables aux liftings, car leur action est beaucoup plus douce et incomparablement moins dévastatrice en ce qui concerne les cellules. Pour profiter sans danger des avantages de l'effet AHA, choisissez des crèmes faiblement dosées. Pour une action antirides plus poussée, mieux vaut faire appel aux services d'une esthéticienne expérimentée.

Terproline

Connu depuis une trentaine d'années, ce principe actif était proposé à l'origine sous la forme d'une pommade destinée au renouvellement cellulaire en cas de brûlures étendues ou de séquelles postopératoires. Or, convaincus que ce qui agit sur une peau abîmée ne peut pas rester sans effet sur une peau saine, les dermatologues ont eu l'idée d'utiliser la terproline pour essayer de retarder le vieillissement cutané. Leur tentative ayant été couronnée de succès, on retrouve cette substance aujourd'hui dans la formule de certains produits destinés à stimuler la formation de collagène, d'élastine et d'acide hyaluronique afin d'entretenir l'élasticité des tissus.

Les acides de fruits raffermissent le tissu conjonctif.

Puiser dans la nature

Le grand retour à la nature, si à la mode actuellement, touche aussi la cosmétique anti-âge, car on s'est aperçu que la flore, indigène et exotique, recelait un certain nombre de principes actifs capables de préserver notre peau du flétrissement.

Les substances de croissance, qui confèrent aux tissus végétaux leur solidité, stimulent aussi le renouvellement cutané.

Autres substances végétales couramment utilisées en cosmétique

- En raison de leur forte teneur en protéines, les algues favorisent l'activité cellulaire, produisent un effet hydratant et apportent à la peau des protéines importantes.
- Le gel d'aloès (*Aloe vera*) hydrate à merveille et stimule le renouvellement cellulaire.
- L'avocat apporte à la peau de la vitamine A et des acides gras essentiels.
- L'agaric est astringent et raffermissant.
- Véritable bénédiction pour la peau, l'huile de graine de bourrache est source de vitamine E.
- Les bourgeons de hêtre favorisent le renouvellement cutané.
- En raison de sa forte teneur en tanin, l'ébène raffermit les tissus et atténue les rides.
- Le ginkgo produit un effet antioxydant, stimule les fonctions cellulaires et active la circulation sanguine.
- La mûre éclaircit les taches pigmentaires.
- Les huiles de pépins de raisin et de graines de groseilles retendent la peau et retardent le vieillissement cutané.
- La sauge produit un effet antioxydant.
- Le shii-také protège contre le stress et les radicaux libres ; il contient des stérols similaires à l'œstrogène qui stimulent le renouvellement cellulaire.
- Les fèves de soja contiennent une phytohormone appelée génistéine qui stimule le renouvellement cellulaire.
- Le raisin favorise la régénération du collagène et contient des polyphénoles antioxydants.

Phytohormones

Les substances végétales secondaires agissant comme des hormones sont très à la mode en cosmétique. Parmi les phytohormones les plus talentueuses, citons l'auxine, qui permet aux végétaux de croître. Elle stimule la division cellulaire et confère souplesse et résistance aux tissus végétaux. La tige du tournesol est suffisamment solide pour supporter le poids de la fleur, mais aussi suffisamment souple pour permettre à celle-ci de suivre la rotation du soleil.

Le séquoia est un autre exemple de l'efficacité de l'auxine : à l'âge canonique de 3 000 ans, il fleurit encore.

Or ces propriétés étonnantes peuvent aussi s'appliquer à notre peau. Des études ont en effet montré que l'auxine stimule le renouvellement cellulaire et raffermit le tissu conjonctif tout en l'assouplissant.

Huiles végétales

Autre source de jouvence issue du monde végétal, l'huile de jojoba retend la peau, la rend souple et soyeuse et prévient la formation des rides. Son application régularise la teneur de la peau en eau et en lipides, favorise la régénération des cellules cutanées et aide au maintien du film acide protégeant la peau contre les agents extérieurs. Elle contient en outre beaucoup de vitamine E, excellent régénérateur cutané.

Le jojoba est un buisson originaire des déserts mexicains et australiens.

Les huiles d'amande, d'onagre, de sésame et de germes de blé ont, elles aussi, un effet très positif sur l'équilibre hydrique de la peau et contiennent des substances antiradicalaires qui permettent de lutter efficacement contre les radicaux libres.

Vitalisez votre peau

Jusqu'à présent, nous nous sommes surtout intéressés aux travaux de recherche menés par les dermatologues et les instituts de cosmétologie au sujet du vieillissement cutané et des moyens de le ralentir. Or le moment est maintenant venu de passer à la phase pratique et de voir comment conserver à sa peau tout son éclat afin de rester belle et séduisante à tout âge par des soins spécifiques.

B.A. BA : le nettoyage

Pour une hygiène irréprochable, le visage doit être nettoyé deux fois par jour, matin et soir, et de préférence avec une crème ou une lotion, car les gels nettoyants sont plus adaptés aux peaux jeunes et grasses. Évitez en tout cas soigneusement le savon, qui dessèche énormément. En vous démaquillant et en débarrassant votre peau des cellules mortes, vous la privez par la même occasion de facteurs naturels d'hydratation et d'agents lipidiques. Cela réduit sa capacité à conserver son humidité et à stocker la vapeur d'eau et empêche la constitution du film acide lui servant de protection naturelle. Aussi est-il très important, après l'avoir nettoyé, de se rincer le visage avec une lotion spécialement conçue pour cela. Le mieux est d'en imprégner un tampon de ouate que vous vous passerez sur le visage, le cou et le décolleté par petites touches. Cette opération régularise la teneur de la peau en eau et en lipides et relance les fonc-

Nettoyage et rinçage du visage doivent toujours se faire à l'eau tiède.

Conseil

Les lotions démaquillantes ne doivent pas contenir d'alcool, car cela irrite la peau et la prive d'agents lipidiques. Les cosmétologues recommandent l'eau d'hamamélis pour son effet astringent et apaisant.

tions cutanées. Les lotions démaquillantes et tonifiantes ont leur place dans l'armoire à cosmétiques au même titre que les lotions nettoyantes.
Rien ne vous empêche d'ailleurs de préparer vous-même vos lotions pour le visage.

Lotion nettoyante

Les principes actifs de l'aloès pénètrent la peau en profondeur.

200 ml de gel d'aloès (Aloe vera)
80 ml d'huile de germes de blé
4 gouttes d'huile essentielle de citron
Mélangez les ingrédients et versez la mixture ainsi obtenue dans un flacon. Appliquez sur le visage, massez avec les doigts, passez un tampon de ouate sur la peau et rincez à l'eau tiède.

Lotion démaquillante à la rose

1 c. à s. d'eau de rose
3 c. à s. d'extrait de lavande
3 gouttes d'huile essentielle de rose
1 goutte d'huile essentielle de jasmin
Mélangez les ingrédients et versez dans un flacon la mixture ainsi obtenue. En la mettant au réfrigérateur, votre lotion pourra se conserver 5 jours.

Démaquillage

Appliquez sur le visage une lotion ou un lait nettoyant et laissez agir quelques secondes. Retirez le surplus avec un mouchoir en papier. Pour le khôl et le mascara résistant à l'eau, utilisez un produit démaquillant. Appliquez pour finir sur chaque œil un tampon de ouate imprégné d'une lotion rafraîchissante.

Le peeling stimule l'irrigation des tissus.

Nettoyage en profondeur

Une fois par semaine, ou toutes les deux semaines si vous avez la peau très sèche, remplacez la toilette habituelle par un peeling afin de nettoyer votre visage en profondeur et stimuler l'irrigation des tissus. L'action récurrente des particules de son d'amande, de lœss ou de cire de jojoba provoque l'élimination des cellules mortes et nettoie la peau en profondeur. Rosie par l'afflux de sang, celle-ci absorbera encore mieux que d'habitude les substances nutritives et revitalisantes contenues dans la crème de nuit dont vous l'enduirez.
Appliquez le peeling sur tout le visage en évitant soigneusement le contour des yeux. Pour protéger ces derniers, couvrez-les éventuellement avec des compresses (voir

Lors d'un peeling, évitez soigneusement la bouche et le contour des yeux.

page 62). Étalez le produit du bout des doigts en faisant de petits cercles pendant trois minutes. Vous pouvez exercer une pression un peu plus forte au niveau du front, du nez et du menton. Procédez toutefois avec beaucoup de douceur afin de ne pas abîmer l'épiderme. Retirez ensuite le surplus à l'eau tiède et tamponnez-vous le visage avec une lotion. Il existe aujourd'hui de très bons peelings exclusivement composés de substances végétales. Renseignez-vous notamment dans les magasins diététiques et bio.

Préparez soi-même son peeling

- Mélangez votre lotion nettoyante avec une quantité égale de sel de cuisine.
- Ajoutez-y la même proportion de son de lin broyé et mélangez.
- Ajoutez-y la même proportion de souci (*Calendula*) séché et broyé et mélangez.

Massez-vous délicatement le visage avec la mixture ainsi obtenue.

Protégée toute la journée

Après la toilette du matin, il convient de renforcer les mécanismes de protection naturelle de la peau, notamment son film

ATTENTION

Le peeling est source de stress pour la peau, car, en la récurant, il la prive d'agents hydratants et lipidiques. C'est pourquoi il ne faut pas en abuser, voire même y renoncer en cas de couperose.

acide, car elle sera exposée durant plusieurs heures à l'action de nombreux agents extérieurs qui, en l'agressant, favoriseront son vieillissement.

La protection contre les rayons ultraviolets est particulièrement importante à cet égard. C'est pourquoi il est recommandé de n'utiliser comme crème de jour que des produits dotés d'un indice de protection solaire et dont le film arrête aussi bien les UVA que les UVB. Pas besoin qu'il fasse grand soleil pour porter une crème de jour de ce type, car les ultraviolets traversent la couverture nuageuse. Vous préviendrez aussi de cette façon l'apparition des taches pigmentaires.

Les crèmes de jour dotées d'un indice de protection solaire préviennent l'apparition des taches pigmentaires.

Outre la protection contre l'action des agents extérieurs, il est également essentiel que la peau conserve tout le temps une teneur élevée en eau. C'est pourquoi les crèmes de jours doivent aussi impérativement contenir des substances hydratantes.

Bien protégée jusqu'au soir

Les crèmes neutres peuvent servir de base aux enveloppements et aux masques.

Voici comment soigner votre peau pour qu'elle ne manque de rien jusqu'au soir : l'application sur le visage de gel d'aloès pur permet de remplir les réservoirs d'humidité. Étalez par-dessus un soin hydratant, de préférence une crème neutre, sans parfum, qui respecte et renforce le film acide protégeant la peau.

Ce type de crème peut également servir de base aux enveloppements et aux masques, mais elles sont dépourvues d'indice de protection solaire, c'est pourquoi il faut utiliser en plus une crème solaire. Après le gel d'aloès, rien ne vous empêche de remplacer la crème neutre par une crème de jour régénératrice contenant de la trétinoïne, du rétinol ou de la vitamine E (voir page 53), qui soignent et retendent la peau durablement, et des agents hydratants, tels que l'acide hyaluronique ou des acides aminés. Assurez-vous lors de l'achat que le produit est doté d'un indice de protection solaire.

N'oubliez pas le cou et le décolleté.

Le cou et le décolleté nécessitent eux aussi des soins en début de journée, car, tout comme autour des yeux, la peau y est fine, pauvre en glandes sébacées et sous-tendue par une couche adipeuse peu épaisse. Des enveloppements fréquents (voir page 64) ainsi qu'un brossage quotidien le matin sont tout à fait recommandés. Pour cette dernière opération, frottez délicatement les parties concernées avec un gant en luffa ou une brosse en poils naturels en remontant de la pointe du V, entre les seins, jusqu'au menton. Vous retendrez ainsi votre peau, préviendrez l'apparition des ridules et du double menton et stimulerez l'irrigation des tissus ainsi que l'élimination des toxines. Après le brossage, versez le contenu d'une ampoule de ginseng ou de collagène-élastine dans le creux de votre main puis étalez-le dans le cou et sur le décolleté en tapotant la peau doucement du bout du doigt.

Concentré de bienfaits en ampoule

La présentation en ampoule permet de fournir à la peau des substances utiles fortement concentrées, telles que vitamines, sels minéraux, acide hyaluronique ou molécules végétales. Aussi recommande-t-on souvent aux personnes dont la peau est un peu défraîchie de faire quatre ou cinq cures d'ampoules par an, à intervalles réguliers. Les ampoules contenant de l'acide hyaluronique ou du gel d'aloès peuvent aussi être appliquées quotidiennement sous une crème de jour ou de nuit afin de renforcer l'hydratation de la peau. Étalez délicatement le produit du bout des doigts sur le visage, le cou et le décolleté, matin ou soir.

Soins du contour des yeux

La peau tendre et fine qui entoure nos yeux exige une attention toute particulière. C'est pourquoi nous avons jugé bon de lui consacrer un petit chapitre. Le contour des yeux se dessèche plus rapidement que les autres parties du visage, car il contient moins de glandes sébacées, est plus fin et n'est sous-tendu par aucun tissu adipeux sous-cutané. C'est donc logiquement à cet endroit que l'action du temps et des agents extérieurs se remarque en premier. La peau perd de sa souplesse et de son élasticité. Par des soins précoces et appropriés, alliant hydratation et apports lipidiques, il est toutefois possible d'éviter ce désagrément.

Appliquez matin et soir une crème ou un gel pour le contour des yeux en étalant le produit délicatement du bout des doigts, sans oublier les paupières supérieures. Commencez toujours par le coin intérieur de l'œil. Le produit utilisé doit contenir de la vitamine C ou E, de la coenzyme Q10 ou de la biotine, car ces substances ont la propriété de retarder le vieillissement cutané et d'estomper durablement les rides et ridules dues au dessèchement. Les crèmes pour le contour des yeux préviennent aussi la tuméfaction des paupières. Rien ne vous empêche d'ailleurs de vous en mettre un peu en cours de journée. N'ayez pas peur pour votre maquillage : il n'en souffrira pas.

Contre les ridules autour des yeux, appliquez délicatement une crème appropriée.

Compresses

Après une journée éprouvante ou une séance prolongée devant un écran d'ordinateur, les rides et ridules du contour des yeux sont particulièrement apparentes. Aussi n'hésitez pas à accorder à votre région oculaire une petite pause de récupération. Pour cela, il suffit d'appliquer une compresse sur chaque œil. Vous trouverez dans le commerce des compresses toutes prêtes contenant du gel et des principes actifs concentrés. Elles hydratent la peau en un rien de temps, la retendent et lui confèrent une nouvelle élasticité. Utilisées trois ou quatre fois par semaine, elles peuvent même estomper durablement les ridules. Leur usage est, en outre, fort agréable, car elles rafraîchissent et apaisent.

Nettoyez-vous le visage en retirant

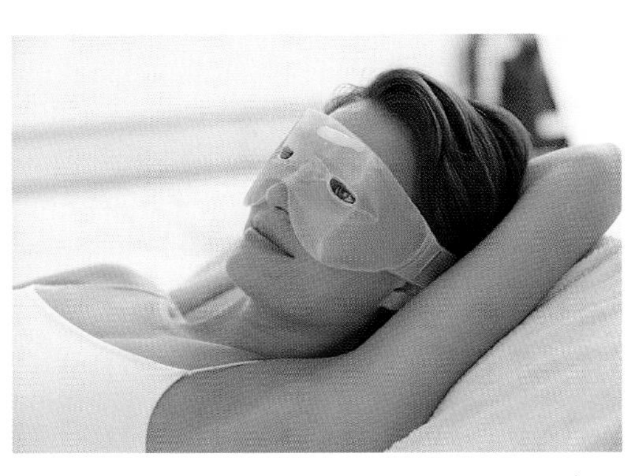

Accordez à vos yeux une pause de récupération en les couvrant d'une compresse.

bien toute trace de maquillage. Ôtez la pellicule protectrice et placez le côté de la compresse recouvert de gel sous l'œil. Appuyez délicatement et de manière régulière sur toute la surface et laissez agir dix minutes. Chaque compresse ne peut servir qu'une seule fois, car elle livre tous ses principes actifs lors de la première application.

Régénération durant le sommeil

Pendant que nous dormons paisiblement, notre peau est extrêmement active. C'est en effet durant la nuit que s'effectue la régénération des cellules cutanées et la réparation des dommages encourus durant la journée. Pour cela, notre peau a toutefois besoin d'aide, surtout lorsqu'on commence à vieillir, car, comme il a déjà été dit, les fonctions cutanées et la capacité des cellules à se régénérer diminuent à mesure que nous avançons en âge. C'est la raison pour laquelle les crèmes de nuit doivent contenir en premier lieu des agents susceptibles d'aider la peau dans son processus de régénération. Celle-ci a besoin non seulement de substances régénératrices et structurantes, mais aussi de lipides. C'est pourquoi les crèmes de nuit sont normalement plus grasses que les crèmes de jour.

Comment faire passer à votre peau une bonne nuit

L'avocat, « beurre des tropiques », fournit à la peau beaucoup d'acides gras essentiels ainsi qu'une grande quantité de vitamine E, véritable source de jouvence à elle toute seule (voir page 54). Pour ne pas vous priver de ces bienfaits, enduisez délicatement votre visage, votre cou et votre décolleté d'extrait d'avocat en ampoule, préalablement à l'application de votre crème de nuit. À la place des ampoules, vous pouvez aussi acheter directement une crème de nuit contenant de l'avocat.

L'avocat contient beaucoup de vitamine E.

Pour la nuit, choisissez dans tous les cas un produit renfermant des substances régénératrices et nutritives : trétinoïne, vitamine A, vitamine E ou acide lipoïque. Une base comprenant des liposomes, ou autres « véhicules » de ce genre,

L'acide lipoïque, substance naturellement produite par l'organisme, peut réactiver les agents protecteurs de la peau.

est vivement recommandée, car ils permettent l'acheminement des principes actifs jusque dans l'hypoderme, c'est-à-dire là où la peau en a le plus besoin. Si vous vous méfiez des cosmétiques vendus dans le commerce, l'huile de bourrache constitue une excellente solution de rechange, car elle contient beaucoup de vitamine E ainsi que des acides gras essentiels. Il vous suffit d'en verser quelques gouttes dans une crème neutre sans parfum et de mélanger.

Petit rafraîchissement

À côté des soins de base évoqués dans les pages précédentes, notre peau a également besoin de soins supplémentaires, tels que masques ou enveloppements, qui la soutiennent dans ses tâches multiples et contribuent à retarder son vieillissement. Le surcoût que représentent ces « extra » se justifie amplement par les résultats qu'ils permettent d'obtenir, et cela pas seulement en termes de jeunesse cutanée. Masques et enveloppements :

- produisent un effet « lift » en retendant et regonflant l'épiderme de manière à faire disparaître momentanément les irrégularités et les ridules,
- sont des « vacances » pour la peau, car ils lui permettent de se régénérer, de renforcer son métabolisme et d'absorber en très peu de temps de multiples substances traitantes et nutritives,
- vous détendent en même temps que votre peau.

Appliqués dans les règles de l'art, masques et enveloppements sont encore plus efficaces : nettoyez-vous au préalable le visage, le cou et le décolleté, puis étalez le produit dans toutes les directions en partant du milieu du menton. Évitez soigneusement le contour des yeux afin de ne pas l'irriter. Laissez agir le temps nécessaire, puis nettoyez-vous à nouveau le visage, le cou et le décolleté. Essuyez-vous en tapotant la peau avec une serviette de toilette propre et sèche. Terminez par l'application d'une lotion pour le visage et de votre crème de jour ou de nuit habituelle.

Appliquer un masque adapté, c'est offrir des vacances à sa peau.

Soins à effet immédiat

Vous trouverez ci-après une sélection de masques et d'enveloppements qui retendront votre peau et affineront son grain pour quelques heures, et surtout la soigneront et la protégeront durablement. La fréquence des applications dépend du temps dont vous disposez, une fois par semaine étant en tout cas un minimum.

Masque au concombre

En plus des ses qualités gustatives, cette cucurbitacée est très appréciée comme produit de beauté à effet rapide. Les enzymes, vitamines et sels minéraux qu'elle contient ont le pouvoir de retendre la peau.

- Nettoyez soigneusement un concombre, coupez-le en fines rondelles et tapissez-vous-en le visage.
- Autre solution : concombre et fromage blanc

1/4 de concombre
1 c. à s. de fromage blanc

1. Écrasez le concombre et mélangez-le au fromage blanc.
2. Appliquez la mixture ainsi obtenue sur le visage et laissez agir 15 minutes.

Masque au son de lin

Il s'agit là d'un masque hydratant qui rend la peau douce et satinée.

5 c. à s. de son de lin

1. Mettez le son dans un bol d'eau et laissez-le gonfler quelques minutes, jusqu'à ce qu'il forme une masse pultacée facile à étaler et ne collant pas.
2. Appliquez cette matière sur le visage et laissez agir 20 minutes, puis retirez le plus gros du masque à l'aide d'un linge, car le son bouche facilement les lavabos.
3. Rincez-vous ensuite le visage à l'eau tiède.

Les rondelles de concombre constituent un masque efficace et rapide.

Masque à l'argile

L'argile retend la peau et purifie le teint

1 c. à s. d'argile
3 c. à s. de crème neutre non parfumée

1. Mélangez argile et crème et appliquez-en une fine couche sur le visage, le cou et le décolleté.
2. Laissez agir 20 minutes, puis retirez à l'eau tiède.

L'argile peut aussi s'utiliser seule, avec seulement un peu d'eau, mais l'avantage de la crème est que le masque reste souple et ne se craquelle pas en séchant.

Enveloppement à la banane

Masques — peu coûteux et très efficaces.

La banane nourrit la peau en raison de sa teneur élevée en vitamine A, vitamine E et sels minéraux.
1 banane mûre
2 c. à s. de fromage blanc
1 jaune d'œuf
1. Écrasez la banane et mélangez la purée ainsi obtenue avec le fromage blanc et le jaune d'œuf.
2. Appliquez le tout sur le visage, le cou et le décolleté et laissez agir 20 minutes.

Enveloppement à l'huile pour le cou et le décolleté

Cet enveloppement aide dans certains cas, notamment chez les personnes ayant la peau très sèche, à lutter contre le flétrissement et la perte d'élasticité.
2 c. à s. d'huile d'onagre
1 c. à s. d'huile de jojoba
1. Mélangez les huiles et réchauffez-les brièvement dans de l'eau tiède, puis, avec un pinceau en poils naturels, badigeonnez sur la peau.
2. Recouvrez le cou et le décolleté d'une pellicule de film étirable, et enveloppez le tout dans une serviette chaude. Laisser agir 20 minutes.
À la place de l'huile d'onagre ou de jojoba, rien ne vous empêche d'utiliser un mélange de plusieurs huiles végétales à haute valeur nutritionnelle, telles que germes de blé, sésame, graines de lin ou d'avoine, qui soignent et retendent la peau. Certaines de ces huiles sont enrichies en acides gras essentiels oméga 3, en vitamine E, en carotène, en œstrogène végétal ainsi qu'en substances végétales secondaires.

Pour une peau souple et veloutée, l'huile peut également se prendre par voie orale.

Mobilisation passive du visage

Le relâchement des traits du visage et la transformation progressive des ridules en rides provient aussi du fait que les muscles sous-tendant la peau se ramollissent. Ils sont alors moins bien irrigués, ce qui se traduit au niveau de la peau par un apport insuffisant en nutriments. La mobilisation passive des muscles affine le grain de la peau et produit un effet revitalisant. Elle active de surcroît la lymphe et stimule l'irrigation des tissus ainsi que le métabolisme cutané.
Pour mobiliser les muscles du visage, il suffit de les masser régulièrement :
1. Versez un peu d'huile de jojoba ou d'amande dans le creux de la main et étalez le produit.
2. Effleurez plusieurs fois le front en terminant par de petits mouvements circulaires sur les tempes.
3. Passez ensuite aux paupières, inférieures et supérieures, en tapo-

tant très délicatement du bout des doigts.
4. Effleurez plusieurs fois le menton.
5. Avec le reste d'huile, massez-vous les ailes du nez avec le majeur en allant de haut en bas et de bas en haut.
6. Pour finir, effleurez plusieurs fois le cou et le décolleté en remontant de la naissance des seins jusqu'à la pointe du menton.

De l'utilité de la petite cuiller bien tempérée

Le principe : appuyer légèrement avec le dos d'une petite cuiller froide sur la peau afin de décongestionner les tissus et d'estomper les ridules.
Pour cela, mettez une petite cuiller dans le bac à glaçons de votre réfrigérateur et ne la retirez que lorsqu'elle est très froide. Posez alors le dos de la cuiller sous un œil, puis l'autre, en exerçant une très légère pression afin de faire dégonfler le tissu. Faites ensuite des cercles sur les joues, puis passez la cuiller plusieurs fois de droite à gauche et de gauche à droite sur le front et le menton.
Pour finir, passez la cuiller plusieurs fois sur le décolleté et le cou en remontant de la naissance des seins jusqu'au menton. Une fois arrivée là, tapotez un peu par en dessous pour prévenir ou effacer le double menton.

Le massage à la petite cuiller glacée décongestionne les tissus.

ATTENTION

Beaucoup de spécialistes déconseillent à présent la gymnastique faciale proprement dite, car elle peut susciter l'apparition de rides là où il n'y en avait pas, surtout si les exercices ne sont pas exécutés dans les règles de l'art ou en cas de travail trop intensif.

Un cheveu en bonne santé croît d'environ un centimètre par mois. Sa durée de vie est de deux à six ans.

Des cheveux pleins de vitalité

Tout comme la peau, les cheveux sont un excellent indicateur de l'état de santé physique et psychologique d'une personne. Lorsque nous sommes en forme et en bonne santé, ils sont souples et soyeux, mais, en revanche, la fatigue et le surmenage se voient à leur aspect terne et à leur manque de tonus. Par ailleurs, le temps qui passe ne les laisse pas non plus indemnes : ils n'échappent pas au processus de vieillissement et le nombre des racines capillaires diminue (ainsi, chez les hommes, la calvitie peut commencer dès 27-28 ans). Étant donné que la division cellulaire ralentit avec l'âge, les cheveux poussent de moins en moins vite, et à un certain moment, la production de pigments capillaires diminue elle aussi, ce qui a pour conséquence la multiplication des cheveux blancs, indice infaillible du vieillissement. Parallèlement la baisse progressive de la teneur en eau de l'organisme se traduit par des cheveux de plus en plus secs et cassants.
Les manifestations du vieillissement capillaire sont bien sûr aussi fonction des gènes et de la nature de chaque individu : si vous avez toujours eu des cheveux fins et clairsemés, leur chute se remarquera beaucoup plus tôt que chez une personne à la chevelure naturellement épaisse et abondante.

Composants importants

Comme nous l'avons vu pour la peau, il est toutefois possible de ralentir le processus de vieillissement des cheveux en utilisant des produits appropriés. Certains shampooings, lotions et masques capillaires contiennent des substances capables de régénérer la structure du cheveu et de la protéger des influences néfastes de l'environnement ainsi que du stress que nous lui imposons (voir page 70). Parmi ces substances, certaines aident aussi la peau à se défendre contre les agressions extérieures et les radicaux libres, lui permettant ainsi de rester jeune plus longtemps.

- *Vitamines E* : les effets positifs de la « vitamine anti-âge » se remarquent également aux cheveux. Elle stimule leur croissance, les rend plus faciles à peigner, et protège la kératine, composant fondamental des phanères, contre les méfaits du soleil.

La vitalité des cheveux ne dépend pas seulement des soins qu'on leur apporte, mais aussi de la façon dont on se nourrit.

- *Le D-panthénol* joue également un rôle très important dans le bien-être de nos cheveux et c'est donc à juste titre que nous le retrouvons dans de nombreux produits. Des études ont montré qu'il hydrate la tige pilaire en pénétrant la racine capillaire, répare les cheveux abîmés, prévient les fourches, rend les cheveux plus faciles à friser et les fait briller. De plus, cette provitamine protège les cheveux contre les dommages mécaniques et augmente leur résistance contre les influences néfastes de l'environnement.
- *Le phytantriol*, précurseur de la vitamine E, est une substance protectrice extrêmement efficace. Il hydrate le cheveu par réduction de l'évaporation et l'empêche de s'abîmer. Plus fort encore, l'utilisation d'un produit contenant du phytantriol fait baisser de manière significative le nombre des fourches.

Les masques capillaires permettent de régénérer la structure du cheveu.

- *La biotine* (vitamine H) est un élément indispensable à la beauté et à la santé des cheveux, car elle favorise la formation de la kératine et détermine ainsi une pousse saine. Elle donne également d'excellents résultats en cas d'ongles cassants, fendus ou mous.
- *Les vitamines B*, notamment B1, B2 et B6 sont, elles aussi, indispensables à la santé des cheveux. Elles sont présentes en grande quantité dans la levure et les extraits de levure. Dans les shampooings et lotions capillaires, on les trouve sous le nom de « complexe de vitamines B ».

Une cure de biotine à raison de 2,5 mg par jour produit un épaississement du cheveu dès la fin de la première semaine.

Recommandations supplémentaires

En plus de l'utilisation de produits capillaires spécifiques contenant des substances anti-âge, vous pouvez aussi prendre soin de votre chevelure et prolonger son apparence juvénile en suivant les recommandations suivantes.

- La vitamine B5 (acide pantothénique) par voie interne donne aux cheveux souplesse et brillant. Elle est présente en grande quantité dans les produits à base de blé complet, le poisson, les fèves de soja et les fruits à coque.

- La levure de bière contient toute une série de vitamines, de sels minéraux et d'acides aminés qui empêchent d'avoir le cheveu terne : buvez chaque jour une cuillerée à café de levure de bière diluée dans un verre de jus de légume ou d'eau.

Masque capillaire à l'huile de jojoba

Cet enveloppement redonne tonus et souplesse aux cheveux abîmés et régénère leur film protecteur. La cire végétale prévient aussi les fourches et rend le cheveu moins cassant. L'huile de racine de bardane, utilisé depuis très longtemps pour stimuler la pousse, renforce cette action.

2 c. à s. d'huile de racine de bardane
4 c. à s. d'huile de jojoba

1. Mélangez les huiles, appliquez la mixture ainsi obtenue sur les cheveux et massez légèrement le cuir chevelu.
2. Posez une feuille de papier aluminium sur vos cheveux et enveloppez le tout dans une serviette chaude : la chaleur générée par ce « turban » renforce l'effet du masque capillaire.
3. Retirez le « turban » au bout d'une demi-heure et rincez-vous abondamment les cheveux.

ATTENTION

Les produits capillaires doivent contenir le moins d'agents chimiques possible : les composants agressifs dégradent le film protecteur naturel du cuir chevelu et agressent le cheveu. Pour les mêmes raisons, renoncez aux sprays et aux gels coiffants ; la cire de jojoba remplace par exemple très bien les gels.

Masque capillaire à l'œuf et au citron

1 jaune d'œuf
1 c. à c. de jus de citron pressé
3 c. à s. d'huile de jojoba

1. Mélangez les ingrédients et répartissez la mixture ainsi obtenue sur la chevelure propre et humide à l'aide d'un tampon de ouate ou d'un peigne.
2. Enroulez une serviette en turban autour de votre tête et laissez agir une demi-heure.
3. Rincez ensuite vos cheveux à l'eau tiède.

En règle générale, lotions et autres produits capillaires doivent être appliqués à deux centimètres de la ligne de naissance des cheveux.

Les ennemis du cheveu

Ce qui abîme les cheveux peut souvent être facilement évité, à condition de connaître les facteurs de risque.

- L'exposition prolongée au soleil est mauvaise, non seulement pour la peau, mais aussi pour les cheveux. Ceux-ci sèchent, ils deviennent ternes et cassants. Aussi est-il vivement recommandé de toujours se couvrir la tête lorsque l'on va à la plage. Le mieux pour protéger ses cheveux lorsque l'on est à la mer et que l'on se baigne est de les enduire d'huile. Il existe dans le commerce des produits huileux spécialement conçus pour cela, mais rien ne vous empêche d'utiliser tout simplement de l'huile de jojoba, qui présente l'avantage de ne pas coller.

L'exposition prolongée au soleil n'abîme pas seulement la peau, mais aussi les cheveux.

- Les permanentes et les couleurs abîment les cheveux durablement, car les préparations utilisées attaquent l'écran protecteur entourant la tige du poil et lui retirent ainsi sa souplesse et sa résistance. Aussi faut-il n'utiliser que des produits légèrement ondulants et des teintures naturelles, comme le henné par exemple.
- L'eau trop chaude ou trop froide est également contre-indiquée : lavez et rincez vos cheveux uniquement à l'eau tiède.
- Le peignage et le brossage trop fréquents ainsi que l'utilisation de rouleaux ou de bigoudis nuisent à la santé des cheveux. Évitez aussi de porter tous les jours les cheveux relevés ou attachés.
- L'air chaud et les brushings constituent un véritable calvaire pour les cheveux : réglez toujours votre sèche-cheveux au minimum et renoncez définitivement aux brushings.

Contre les cheveux abîmés : mettez 1 c. à c. de vinaigre de pomme et une c. à s. de miel dans un demi-litre d'eau tiède, mélangez bien et versez sur la chevelure

- Ne prodiguez pas à vos cheveux des soins trop intensifs, car cela se fait au détriment de leur volume.

Savoir se maquiller

Les progrès de la recherche sur le vieillissement influent également sur l'évolution du maquillage. On trouve désormais, par exemple, des pigments colorés avec « effet flou » qui réfractent la lumière dans toutes les directions, rendant ainsi les ridules plus difficiles à percevoir et donnant donc l'impression d'une peau lisse et tendue. De manière générale, le fond de teint, le fard à paupières et le rouge à lèvres ne servent plus uniquement à donner de la couleur au visage, mais ont également une fonction hydratante, antirides, apaisante ou décongestionnante.

Les secrets des professionnels

Bien exécuté, le maquillage permet de masquer les défauts et fait paraître plus jeune : les petites irrégularités disparaissent, le grain de la peau semble plus fin et le visage paraît plus lisse.

Astuces de maquilleur pour un résultat parfait.

Une base irréprochable

Le fond de teint est un préalable crucial, car sans lui le maquillage ne donnerait rien. Il doit être ap-

Le fond de teint liquide est indiqué pour les peaux sèches.

pliqué en couche suffisamment fine pour éviter l'effet « plâtrage », mais aussi suffisamment épaisse pour cacher les petits vaisseaux éclatés, les impuretés et les taches pigmentaires. Choisissez un ton correspondant exactement à votre teint naturel. C'est pour cette raison qu'il faut toujours avoir deux fonds de teint : un pour l'été et un pour l'hiver.

Pour appliquer votre fond de teint, mettez-en une petite noisette sur le bout du nez, le front et le menton et étalez-les délicatement en allant du milieu vers l'extérieur.

La correction

Si le fond de teint ne couvre pas suffisamment, vous pouvez utiliser un stick correcteur. Il en existe dans tous les tons imaginables. Vous les trouverez dans les magasins d'accessoires de théâtre et dans les boutiques de maquillage. Demandez conseil à la vendeuse pour trouver le coloris correspondant le mieux à votre teint naturel.

- Le stick correcteur permet de masquer les petits vaisseaux, les taches de vieillesse et les cernes. Pour cela, la crème doit être instillée et non pas étalée, c'est-à-dire que vous devez en mettre un tout petit peu sur la partie à masquer et tapoter délicatement jusqu'à résorption complète. Vous appliquerez ensuite votre fond de teint et votre poudre ainsi que vous en avez l'habitude, mais en faisant attention à ne pas retirer la correction.
- Le stick correcteur peut aussi servir à masquer les rides, notamment autour des lèvres et sur le front. Pour cela, appliquez le produit, qui doit être très clair, directement sur la ride au moyen d'un pinceau très fin, comme par exemple un eye-liner, instillez comme décrit précédemment et

Conseil

N'ayez recours au stick correcteur que lorsque le fond de teint ne couvre pas suffisamment, car il y a toujours le risque que votre peau ait l'air d'avoir été colmatée. Vérifiez régulièrement dans le courant de la journée que tout est en ordre. Si ce n'est pas le cas, nettoyez-vous le visage à l'aide d'un linge cosmétique et remaquillez-vous. Vous pouvez aussi mélanger fond de teint et produit correcteur. Cela suffit souvent à couvrir.

passez de la poudre par-dessus. Cette opération éclaircit automatiquement les rides, qui disparaissent au regard.

Le maquillage des yeux

Pour les yeux, le principe est le suivant : capter l'attention et ne plus la lâcher. En règle générale, plus on vieillit, plus il faut avoir la main légère avec le fard à paupières, car avec l'âge les yeux s'enfoncent de plus en plus dans l'orbite et le maquillage souligne ce phénomène au lieu de le masquer. Le fard à paupière doit être mat, présenter une teinte naturelle et ne pas être trop foncé. Fondamentalement, sa couleur peut rester la même tout au long de notre vie, car, contrairement à nos cheveux, qui grisonnent, notre teint conserve toujours le même ton de base. Mettez vos yeux en valeur en passant du khôl sur le bord de la paupière et en vous lissant les cils au mascara ou au rimmel après les avoir légèrement recourbés vers le haut. Il est important de ne pas oublier les sourcils, ne serait-ce que parce qu'ils ont tendance à devenir clairsemés avec l'âge…

Soulignez légèrement vos sourcils à l'aide d'un crayon ou avec du khôl, mais évitez la barre au-dessus des yeux.

Deux gestes pour les yeux :

- Les femmes ont souvent une ombre bleuâtre au coin interne de l'œil et sous la paupière inférieure, car leur peau est très fine à cet endroit. Pour ne pas paraître fatiguée, veillez à toujours masquer ces zones d'ombre avec du fond de teint ou un stick correcteur. Cela vaut également pour la ligne rouge qui enlaidit souvent le coin externe de l'œil.
- Si vous avez la paupière supérieure retombante, voici un truc optique utilisé par les maquilleurs pour la relever : à l'aide d'un applicateur, déposez une toute petite touche de fard sombre au milieu de la paupière.

Le maquillage permet de diriger l'attention sur les yeux.

Le maquillage des lèvres

En vieillissant, les lèvres ont tendance à devenir plus fines. Elles sont alors moins bien irriguées et perdent leur couleur rose ainsi que leurs contours tranchés. Face à ce problème, de nombreuses femmes se redessinent les lèvres avec un crayon foncé et utilisent un rouge à lèvre de couleur vive. C'est pourtant une chose à ne jamais faire, car cela rend le visage dur et le vieillit.

Pour le contour des lèvres, choisissez plutôt une couleur tendre, un ton en dessous du rouge à lèvres, celui-ci devant lui-même être dans les tons rosés ou rouge brun clair.

Rester séduisante à tout âge

Il en a déjà été question à quelques reprises dans les chapitres précédents : taches de vieillesse, couperose et autres signes de sénescence font bien souvent que l'on finit par ne plus se sentir très bien dans sa peau. Contre pareils phénomènes, certes parfaitement bénins mais tout de même très déplaisants, nous pouvons agir dans une certaine mesure par nos propres moyens. Cela vaut d'ailleurs aussi pour certains défauts congénitaux, comme la faiblesse du tissu conjonctif.

Taches de vieillesse & consorts — lutter de manière ciblée

Les bobos de la vieillesse n'ont pas de raison d'être. Le traitement au laser, la micro-chirurgie et autres disciplines relevant de la médecine esthétique, ainsi que les traitements hormonaux offrent aujourd'hui une large palette de possibilités pour lutter contre les symptômes de sénescence. À cet égard, la phytothérapie (plantes médicinales) et d'autres thérapeutiques naturelles donnent de bons résultats. Parmi les différentes mesures envisageables contre les outrages du temps, beaucoup peuvent être mises en œuvre chez soi et sans aide extérieure.

Beauté cutanée — une trilogie

La peau, l'intestin et le système immunitaire sont interdépendants.

Commençons par le commencement, à savoir la prévention : la beauté de la peau dépend en premier lieu du bon fonctionnement de l'appareil digestif. Peau, intestin et système immunitaire forment une trilogie indissociable. Cela signifie que tout dysfonctionnement de l'un de ces systèmes se répercute automatiquement sur les deux autres. Si, par exemple, l'intestin et le système immunitaire subissent durant un certain temps une pression extérieure excessive (pollution, stress, etc.), cela ne se traduit pas uniquement par des troubles digestifs et des maladies infectieuses, mais aussi par une altération de la peau, qui devient terne et flasque. Aussi, en cas de problèmes cutanés et de signes de vieillissement prématuré, est-il toujours recommandé de s'interroger sur l'état de l'appareil digestif. C'est pourquoi, avant de passer aux traitements, nous consacrerons quelques lignes à la trilogie peau/intestin/système immunitaire.

État de santé et beauté

L'état de santé général et la beauté de la peau dépendent du bon fonctionnement de l'appareil digestif.

Il est bien connu que la beauté vient principalement de l'intérieur. Aussi le bon fonctionnement de l'intestin et du système immunitaire joue-t-il un rôle primordial dans la conservation de celle-ci.
La purification et la désintoxication de l'organisme par des cures

Plus on commence tôt à faire attention à soi, plus les signes de vieillissement mettent de temps à apparaître, et plus les traitements sont efficaces. Comme dans tout ce qui touche à la santé et à la beauté, prévention et traitement ont partie liée.

En accompagnement des mesures d'élimination, on recommande souvent un changement de régime alimentaire.

intestinales, notamment des lavements ou une hydrothérapie du côlon, constituent, par conséquent, un élément essentiel dans le traitement des signes de vieillissement et des problèmes cutanés. Elles permettent l'élimination des toxines et des déchets métaboliques qui se sont accumulés durant des années dans le corps, notamment dans le tissu conjonctif. Au bout d'un certain temps, celui-ci se transforme en une véritable décharge organique. Il s'ensuit une faiblesse acquise du tissu conjonctif donnant elle-même naissance à toute une série de troubles, allant de la cellulite à la couperose en passant par les varices.
La première chose à faire pour y remédier est donc d'éliminer les toxines et déchets accumulés. Cette opération n'a pas seulement des conséquences favorables sur l'état de santé et la beauté, ce qui se voit au premier coup d'œil dans le miroir, mais retentit aussi positivement sur l'état psychique.

Complémentation hormonale

Comme nous l'avons dit plus haut, la production d'hormones par l'organisme diminue avec l'âge. Or nous perdons là une importante source de jouvence. Notre corps commence à fatiguer, les premières rides apparaissent, et nous avons de plus en plus de cheveux gris. Toute baisse hormonale se traduit non seulement par des signes physiologiques, mais aussi par une dégradation de notre état psychique. Une complémentation hormonale sous surveillance médicale peut dès lors enrayer ce processus et améliorer notre qualité de vie.
La méthode la plus fréquemment proposées à l'heure actuelle est l'application de gels à base d'hormones soit mécaniquement soit par ionophorèse, procédé consistant à faire pénétrer les hormones sous la peau à l'aide d'un champ électrique de faible intensité. Elle a donné d'excellents résultats contre le relâchement du tissu conjonctif, la cellulite, l'hirsutisme, les troubles de répartition de la masse adipeuse et l'alopécie. Avant d'établir le traitement, votre médecin vous prescrira des examens détaillés afin de connaître votre formule hématologique et votre statut hormonal exact.

Un indice de protection élevé est également recommandé en cas de taches pigmentaires existantes.

Taches de vieillesse

Cause importante de vieillissement cutané prématuré, les rayons ultraviolets sont la porte ouverte aux taches de vieillesse. Il s'agit d'une hyperpigmentation locale de la peau provoquée par une production excessive de mélanine en réponse à une exposition prolongée et répétée aux UV. La peau tolère longtemps le rayonnement ultraviolet, mais, comme il s'agit d'un processus cumulatif, il arrive un moment où elle sature définitivement. L'épiderme se couvre alors de petites taches brunes qui grossissent sans arrêt. Le nom de taches de vieillesses est d'ailleurs trompeur, car ce phénomène peut se déclencher dès la trentaine.

Les produits dotés d'un indice de protection élevé préviennent les taches pigmentaires.

Prévention

La meilleure stratégie contre les taches pigmentaires est d'en éviter la cause, c'est-à-dire s'enduire à chaque exposition au soleil d'un produit doté d'un indice de protection élevé, et cela dès l'enfance. Car lorsque les petites taches brunes commencent à apparaître, elles envahissent le terrain avec opiniâtreté et sont très difficiles à éliminer.

Traitement

Pour les taches les plus foncées, il est recommandé d'utiliser une pommade à l'extrait de cresson officinal. Pour un bon effet éclaircissant, appliquez-en une fois par jour sur la zone concernée. Vous pouvez aussi essayer une crème éclaircissante ou une préparation à base de trétinoïne. Le fait de masquer les taches avec un fond de teint ou un stick correcteur ne peut pas être considéré comme un traitement à proprement parler (voir page 72).

L'éclaircissement durable des taches pigmentaires nécessite une prise en charge médicale. L'un des procédés les plus efficaces est le peeling à l'azote liquide, mais il s'agit là d'une opération de cryochirurgie ne pouvant être réalisée que par un dermatologue expérimenté. Le traitement au laser est également envisageable : à la grande frayeur du patient, les taches prennent tout d'abord une

Les taches pigmentaires apparaissent surtout sur les parties du corps les plus exposées au soleil.

teinte encore plus sombre, mais elles disparaissent ensuite complètement au bout de deux semaines. Qu'il s'agisse du peeling ou du laser, le traitement doit être effectué durant les mois de l'année où l'ensoleillement est le plus faible, car après cela la peau reste sensible à la lumière du soleil pendant un certain temps. Une fois les taches éliminées, protégez-vous bien si vous ne voulez pas en voir apparaître d'autres...

Contour de l'œil

Les problèmes dans la région oculaire apparaissent à un âge relativement peu avancé. La raison en est que la peau autour de l'œil est particulièrement fine et sèche.

Cernes

Les ombres bleuâtres sous les yeux, qui n'ont pas leur pareille pour donner l'air maladif, sont dues à la finesse de la peau, qui laisse apparaître en filigrane les petits vaisseaux sous-cutanés. L'intensité de la coloration dépend de facteurs génétiques.

Traitement

Comme il s'agit d'un phénomène physiologique naturel, les mesures thérapeutiques contre les cernes sont très limitées.
Le drainage lymphatique donne

Vous pouvez masquer vos cernes avec une crème teintée pour le contour des yeux.

de bons résultats. À part cela, vous pouvez aussi masquer vos cernes avec une crème teintée pour le contour des yeux ou du fond de teint : du bout du doigt, déposez le produit en toute petite quantité et instillez-le en tapotant très doucement (voir page 72).

Yeux gonflés

« Une allumette, s'il vous plaît » se disent de nombreuses personnes en se regardant le matin dans la glace. À moins d'avoir fait la fête jusque tard dans la nuit, ou d'avoir pleuré toutes les larmes de son corps, la réduction matinale du champ visuel résulte de troubles du flux lymphatique. L'accumulation de déchets dans les espaces intercellulaires du tissu conjonctif barre la route au liquide tissulaire et provoque un engorgement dans la région péri-orbitale.

Traitement

Le drainage lymphatique donne d'excellents résultats. Prévoyez deux séances par semaine durant trois ou quatre semaines. Vous pouvez en plus stimuler vous-même votre flux lymphatique en faisant les gestes appropriés.
S'il vous arrive ensuite à nouveau de ne plus vous voir dans le miroir qu'avec difficulté, essayez la méthode classique qui consiste à poser sur chaque œil un sachet de thé. Le tanin contenu dans cette boisson produit un effet astringent et décongestionnant :

- Versez de l'eau sur deux sachets de thé noir ou vert, exprimez le liquide, appliquez sur les yeux fermés et laissez agir dix minutes. Pour encore plus d'efficacité, placez les sachets quelques minutes dans le bac à glaçons de votre réfrigérateur.

L'application de sachets de thé froids sur les yeux aide aussi bien en cas d'yeux gonflés que de poches sous les yeux

- Si vous n'avez pas de sachets de thé sous la main, vous pouvez utiliser tout simplement des tampons de ouate imbibés d'eau et mis brièvement à refroidir, car à lui seul le froid suffit à décongestionner.

Ce traitement vaut surtout dans le cas de manifestations aiguës. S'il s'agit d'un problème chronique, mieux vaut envisager une cure de désacidification et de désintoxication afin de stimuler l'activité des vaisseaux lymphatiques et l'élimination des déchets métaboliques.

Poches sous les yeux

Le relâchement progressif des fibres conjonctives fait, lui aussi, payers un lourd tribut sur notre visage : déjà peu élastique, la fine peau située en dessous des yeux a tendance à s'affaisser carrément avec l'âge.

Traitement

Pour retendre momentanément les poches sous les yeux, il est principalement recommandé d'appliquer un sachet de thé glacé sur chaque œil, comme en cas d'yeux gonflés (voir ci-dessus). Cette méthode ne produit toutefois qu'une amélioration provisoire.
Pour un résultat plus durable, il faut inciser légèrement la paupière inférieure. Cette petite opération de chirurgie plastique ne laisse aucune cicatrice. La technique est au-

jourd'hui parfaitement maîtrisée et fait partie des interventions les plus anodines qui soient.

Dilatation des capillaires dermiques

Ce phénomène, qui touche surtout les femmes, est appelé télangiectasie par les médecins. La dilatation superficielle des petits vaisseaux provoque l'apparition, notamment sur les membres inférieurs, d'un réseau finement ramifié de capillaires rouges ou bleuâtres.
Lorsque c'est le visage qui est touché, on parle plutôt de couperose (voir page 82).

Bains chauds, sauna et exposition prolongée au soleil sont prohibés en cas de dilatation des vaisseaux cutanés.

La cause des télangiectasies est la même que celle des varices et de la cellulite, à savoir une faiblesse du tissu conjonctif. Les femmes sont les premières concernées par ce problème, car la structure de leur tissu conjonctif est naturellement plus lâche, ce qui permet aux vaisseaux gorgés de lymphe et de sang d'augmenter de volume facilement. Comme bien souvent, le mot d'ordre est, ici aussi, la prévention, car une fois les vaisseaux dilatés, il n'y a plus grand chose à faire. Imaginez un petit tuyau en caoutchouc sur lequel on a trop tiré et qui ne peut plus reprendre sa forme initiale.

Prévention

Bien que pas très agréable, la meilleure façon de prévenir la dilatation des vaisseaux cutanés est de porter des bas de contention légers à chaque fois que votre corps est soumis à des ébranlements répétitifs. C'est notamment le cas lorsque l'on pratique certains sports, tels que jogging, tennis ou squash, car à chaque impact la lymphe et le sang descendent brusquement dans les petits vaisseaux, qui étant mal maintenus par le tissu conjonctif, se distendent de plus en plus. Or, pour éviter ce problème, il suffit d'exercer une pression de l'extérieur sur le tissu conjonctif. Les bas de contention sont également recommandés aux personnes qui restent longtemps debout ainsi que lorsqu'il fait chaud, car l'élévation de la température rend les vaisseaux encore plus étirables.
On conseille aussi de surélever les jambes le plus souvent possible et de se les masser régulièrement avec de la pommade contenant de l'extrait ou du gel de marron d'Inde.

Il est possible de masquer les télangiectasies avec une crème vert clair ou un stick correcteur.

Traitement

Si les ramifications ne sont pas très étendues, il est possible de les éliminer au laser. Dans la plupart des cas, il faut toutefois envisager un retrait par embolisation. Pour cela, le dermatologue injecte un liquide sclérosant sous la peau afin

d'obturer les petits vaisseaux dilatés. L'inconvénient de cette méthode est qu'ils réapparaissent au bout d'un moment, encore plus nombreux qu'auparavant et qu'il faut donc recommencer régulièrement et sur une surface de plus en plus étendue.
Si vous voulez vous épargner cette corvée, il existe un moyen plus efficace : la microchirurgie, qui est également utilisée contre les varices (voir page 87).

Couperose

On parle de couperose lorsqu'apparaissent, en filigrane, sur certaines zones du visage, notamment les joues et les ailes du nez, des petits vaisseaux rouges finement ramifiés. Comme pour les télangiectasies (page 81), la cause en est le manque de tension des parois vasculaires : les petits vaisseaux s'élargissent et deviennent visibles. Il s'agit là, une fois de plus, d'un problème congénital. Le vieillissement cutané, mais aussi l'alcool, le tabac, l'exposition prolongée au soleil et le sauna sont des facteurs aggravants.

Traitement

Lorsque le réseau est peu étendu, on recommande l'éclaircissage au chardon-Marie. Enduisez les zones à traiter avec votre crème de jour habituelle. Versez de l'eau bouillante sur quelques sachets contenant la semence de cette plante, laissez-les refroidir et appliquez-les sur la peau. Laissez agir 20 minutes. Procédez ainsi quatre ou cinq fois par semaine.
Si vous voulez vous débarrasser durablement de votre couperose, seul un traitement au laser pourra vous y aider. Cette méthode consiste à « sceller » les petits vaisseaux, qui, au bout de quelques séances, deviendront complètement invisibles. Le laser ne laisse aucune cicatrice et se pratique dans le cabinet du dermatologue.

L'infusion de chardon-Marie en application locale éclaircit les petits vaisseaux en cas de couperose.

Hirsutisme

L'apparition de petits poils au-dessus et sur les côtés de la lèvre supérieure est un phénomène d'origine hormonale. Il peut s'agir soit d'une carence en œstrogènes, ayant pour conséquence une prédominance des hormones mâles, soit d'un excès de testostérone. Ce genre de déséquilibre se produit souvent après la ménopause, en raison de la baisse naturelle du taux d'œstrogènes. Toutefois, l'hirsutisme peut aussi toucher les femmes jeunes.

Traitement

Si les poils ne sont pas très nombreux, il suffit de les arracher à la pince à épiler ou de faire des séances d'épilation électrique chez une esthéticienne.
Faiblement dosé, le laser à colorant permet également de se débarrasser des poils indésirables de manière indolore et sans danger.
Le problème peut aussi se résoudre de l'intérieur, c'est-à-dire en prenant des hormones par voie orale, en fonction des carences constatées. Pour cela, adressez-vous impérativement à un endocrinologue expérimenté qui vous prescrira exactement ce dont vous avez besoin pour rétablir l'équilibre.
Les préparations à base d'hormones végétales, comme par exemple l'extrait de cimicaire à grappes (*Cimicifuga racemosa*), peuvent également s'avérer très précieuses pour l'équilibre hormonal.

Conseil
Ne vous rasez en aucun cas, car cela ne fait que stimuler la pousse et rend le poil plus dru.

Double menton

L'apparition d'un double, voire d'un triple menton, n'est pas forcément liée à un problème de surcharge pondérale. Il arrive en effet souvent que des personnes pourtant minces soient affligées de ce petit jabot adipeux. Les kilos en trop jouent bien sûr un rôle non négligeable dans le doublement du menton, mais, une fois encore, il y a des terrains plus propices que d'autres.

Traitement

Le double menton étant avant tout une affaire de patrimoine génétique, le fait de perdre du poids n'aide pas forcément à résoudre le problème, sauf chez les personnes souffrant d'une surcharge pondérale avérée affectant également la région du cou. En revanche, le drainage lymphatique donne souvent de bons résultats, car il n'est pas rare que le double menton soit dû à une accumulation de déchets dans les tissus, auquel cas la stimulation du flux lymphatique permet leur élimination.

Un massage régulier avec une brosse en poils naturels en partant du décolleté prévient la formation du double menton.

On recommande en outre de dormir à plat dos de manière à ce que la peau du cou fasse le moins de plis possible.
Enfin, plus radicale, la liposuccion consiste à aspirer la graisse souscutanée au moyen de canules extrêmement fines. Seuls les méde-

Les envelop-pements de crème retendent et raffermissent la poitrine et le décolleté.

cins sont habilités à pratiquer cette opération.

Poitrine et décolleté fripés

De même que nous ne décidons pas de notre morphologie, nous ne pouvons que nous soumettre aux lois la gravité… Rien ne nous empêche cependant d'aider un peu la nature. Par des mesures appropriées (voir page 66), nous pouvons, par exemple, faire en sorte que notre poitrine et notre décolleté ne se flétrissent pas prématurément. Pour obtenir les résultats escomptés, il est néanmoins indispensable de s'y prendre suffisamment tôt, car, ici comme ailleurs, la prévention est la meilleure des thérapies.

Traitement

Le renforcement des muscles de la poitrine, notamment au moyen d'haltères, prévient le relâchement des tissus pectoraux. Sans matériel, vous obtiendrez un effet analogue en pressant très fort l'une contre l'autre vos mains jointes à hauteur de poitrine, car ce mouvement entraîne la contraction des muscles souteneurs. Il est également très important de stimuler la circulation sanguine. Le meilleur moyen est de se brosser chaque jour la poitrine et le décolleté à sec avec un gant en luffa : faites de petits mouvements circulaires autour des seins, puis remontez ainsi jusqu'au cou en partant de la naissance des seins.

Se passer la poitrine à l'eau froide après la douche permet de raffermir la peau.

Pour retendre et raffermir la peau, ayez recours aux enveloppements de crème. Pour cela recouvrez le V compris entre les seins et le cou d'une fine couche de crème pour le corps (celle que vous utilisez habituellement), laissez agir dix minutes et étalez en massant ce qui n'a pas été absorbé.

Si vous vous servez, pour les soins de la poitrine et du décolleté, d'une crème ou d'une lotion du commerce, veillez à ce qu'elle contienne les ingrédients suivants : vitamine E ou A, gel d'aloès et huile d'avocat ou d'onagre.

Les mesures évoquées ici contribuent à l'entretien de la poitrine et du décolleté, qu'elles font paraître plus jeunes, mais elles ne changeront rien au fait que vous ayez les seins pendants, trop gros ou trop petits. Pour remédier à cela, seule la chirurgie plastique peut vous aider, mais elle laisse toujours des cicatrices. Réfléchissez bien avant de franchir le pas et demandez-vous si une telle intervention, avec toutes ses conséquences, vaut vraiment la peine.

Stress et émotions peuvent être cause d'alopécie.

Chute des cheveux

Comme nous l'avons déjà vu, les cheveux ne sont nullement à l'abri du processus de vieillissement : l'activité et le nombre des racines capillaires diminuent progressivement, ce qui se traduit par une chevelure de moins en moins abondante. À partir d'un certain âge, la baisse de production hormonale n'est pas non plus étrangère au fait que nous perdions plus de cheveux qu'auparavant.

Traitement

La formule magique est ici : biotine. Procurez-vous une préparation fortement dosée. En plus des injections vitaminiques, vous pouvez aussi vous masser le cuir chevelu deux ou trois fois par se-

Cheveux blancs

Le nombre de cheveux blancs et le moment à partir duquel nous commençons à grisonner dépendent de facteurs génétiques. Aussi est-ce uniquement par ce biais qu'il est possible d'agir. En soutenant dans leur tâche les mélanocytes, cellules responsables de la pigmentation des cheveux, nous pouvons faire en sorte qu'ils se fatiguent moins vite. Pour cela, il faut se désintoxiquer régulièrement afin de purifier notre organisme et d'assainir notre flore intestinale (voir page 76).

maine avec un mélange de jus de bouleau et d'huile de racine de bardane, deux produits dont on sait depuis longtemps qu'ils accélèrent la croissance capillaire, stimulent l'irrigation du cuir chevelu et favorisent l'alimentation en nutriments des follicules pileux : mélangez 1 c. à s. de jus de bouleau et 1 c. à s. d'huile de racine de bardane, massez-vous le cuir chevelu avec la mixture ainsi obtenue et lavez-vous les cheveux le lendemain matin.
Lorsque l'alopécie est d'origine hormonale, le médecin peut prescrire un traitement à base d'antiandrogènes, d'œstrogènes, de 17 A-estradiol ou de finastéride, agissant sur la partie intra-épithéliale du système pileux. Adressez-vous pour cela de préférence à un endocrinologue ou à un dermatologue, qui vous prescrira au préalable un bilan hormonal complet. Cela est indispensable pour tout traitement hormonal de substitution.

Pattes d'oie

Les pattes d'oie font partie des manifestations les plus précoces de la perte d'élasticité cutanée.

La région oculaire est la partie du visage où les signes de vieillissement apparaissent en premier. Les raisons en ont déjà été exposées précédemment (voir page 62). Les pattes d'oie doivent leur nom à disposition radiale des ridules à partir du coin extérieur de l'œil, qui rappelle celle des pattes d'un palmipède.

Traitement

La chose à faire soi-même, quotidiennement, est de renforcer son muscle orbiculaire. Pour cela, il existe deux exercices simples :

- Ouvrez la bouche et amenez votre lèvre supérieure vers le bas en tirant doucement sur la commissure avec le bout des doigts. Cet étirement renforce le muscle orbiculaire par en bas.
- Posez un doigt au milieu de chaque sourcil et fermez les yeux tout en opposant une résistance avec les doigts. Le léger étirement ressenti sur la paupière supérieure renforce le muscle orbiculaire par en haut.

Les dermatologues proposent pour leur part un traitement au laser à rayons X mous ou une méthode appelée microdermabrasion, sorte de peeling consistant à

CONSEIL

L'application de compresses aux feuilles de noyer et de bouleau produit un effet drainant et efface momentanément les pattes d'oie. Versez de l'eau bouillante sur une poignée de feuilles mélangées, laissez infuser pendant 20 minutes, passez au tamis et imbibez les compresses que vous appliquerez ensuite sur les yeux fermés. Laissez agir 10 minutes.

« sabler » la peau au moyen de cristaux microscopiques.
Par ailleurs, les gels à base d'œstrogènes retendent la peau et sont généralement assez efficaces contre les pattes d'oie, mais ils ne sont délivrés que sur ordonnance médicale, car leur concentration doit correspondre exactement à vos besoins.

Varices

Les varices sont des veines dilatées, zigzagant sous la peau de manière caractéristique et bien visible. Ce phénomène touche surtout les membres inférieurs.
La dilatation a pour cause un engorgement du retour veineux. Les veines sont dotées de valvules ayant pour fonction de réguler le flux sanguin à destination du cœur. Si celles-ci ne ferment plus correctement, le sang s'accumule dans certains segments. Le vaisseau saturé gonfle de plus en plus. L'une des raisons du mauvais fonctionnement des valvules est - vous l'aurez deviné - la faiblesse du tissu conjonctif, qui peut se manifester dès les jeunes années, notamment lorsqu'elle est héréditaire, ou apparaître avec l'âge.

Les mesures personnelles contre les varices ne peuvent servir que de complément au traitement médical.

Prévention

- L'exercice, encore et toujours : le vélo, la natation, la marche et la randonnée renforcent les muscles des jambes et compensent à merveille le manque de mouvement chez les personnes qui, par leur activité professionnelle restent debout ou assises plusieurs heures par jour.

Les jets d'eau froide préviennent les varices.

- Les jets d'eau froide : chaque matin aspergez-vous d'eau froide en allant des pieds jusqu'au postérieur. Il est également recommandé de faire des mouvements de jambes dans l'eau d'une piscine ainsi que de procéder régulièrement à un enveloppement glacé des mollets.
- Placer le plus souvent possible les jambes en position surélevée, afin de soulager les veines.
- Ne pas s'asseoir jambes croisées.
- Porter de bonnes chaussures et alterner au cours d'une même journée entre semelles plates et petits talons. Réserver les chaus-

L'extrait de marron d'Inde raffermit les tissus et stimule la circulation sanguine.

sures à talons hauts pour les soirées et les chaussures de sport pour le sport.

- Boire le moins d'alcool possible et renoncer totalement au tabac.
- Enfin, le moins agréable : porter des bas de contention lorsque l'on fait du sport, que l'on prévoit de rester longtemps debout ou qu'il fait chaud dehors (voir dilatation des capillaires dermiques, page 81).

Traitement

Se masser les membres inférieurs matin et soir avec de l'extrait de marron d'Inde permet d'agir par ses propres moyens. Ce produit est généralement vendu sous forme de crème, mais on le trouve aussi en gélules à avaler. Pour renforcer et stabiliser le tissu conjonctif, on recommande aussi l'administration de préparations contenant de la poudre silicique. Tout cela ne suffit bien sûr pas à venir à bout des varices, mais peut apporter une amélioration. Le seul moyen de résoudre le problème est l'intervention chirurgicale. Le retrait par embolisation est toujours fréquemment pratiqué, mais, pour les raisons qui ont été exposées au chapitre sur la dilatation des capillaires dermiques, il faut lui préférer la microchirurgie.

Culotte de cheval

La mauvaise irrigation et le relâchement du tissu conjonctif, dans lequel s'amassent déchets métaboliques et toxines, sont la principale cause de la culotte de cheval. Souvent associé à la cellulite (voir page 89), ce phénomène disgracieux, dont souffrent beaucoup de femmes, même minces, touche essentiellement la région des cuisses.

Traitement

Consultez un gastro-entérologue afin qu'il examine tout d'abord le fonctionnement de votre appareil digestif et voie si votre flore intestinale a besoin d'être assainie (voir page 76).
La culotte de cheval est par ailleurs le signe d'un dysfonctionnement du métabolisme des graisses. Pour rétablir l'équilibre, on recom-

L'intestin porte généralement une part de responsabilité dans l'encrassement des tissus

mande souvent l'extrait d'artichaut, dans lequel les principes actifs de la fleur se trouvent fortement concentrés. C'est là une solution intéressante et sans effets secondaires, qui peut très bien remplacer les « brûleurs de graisses » synthétiques.

Plantes et médecines douces peuvent améliorer les choses, mais ne feront pas disparaître votre culotte de cheval. Pour cela, seule la liposuccion est vraiment efficace. L'aspiration de la graisse au moyen de fines canules peut affiner la silhouette de manière spectaculaire, mais ce n'est pas une raison pour festoyer de plus belle, car les cellules adipeuses se remplissent rapidement de nouveau si vous abusez des calories.

L'électrolipolise donne de bons résultats dans le traitement de la culotte de cheval, mais huit à douze séances sont nécessaires.

Cellulite

À la faveur d'une faiblesse du tissu conjonctif, les cellules adipeuses augmentent de volume et bossellent l'épiderme, lui donnant cet aspect capitonné et piqueté que l'on désigne souvent du nom de « peau d'orange ». Généralement limité aux cuisses, aux hanches et aux fesses, ce phénomène touche surtout les femmes, qu'elles soient fortes ou minces, car il est intimement lié à la structure de leur tissu conjonctif (voir page 13).

Prévention

Rien ne vous empêche de défier les lois de l'hérédité et de prendre les choses en mains, le plus important étant dans un premier temps d'éviter tous les facteurs de risques (voir encadré ci-dessous).

Brossez-vous à sec matin et soir de la tête aux pieds avec une brosse pour le corps ou un gant de crin. Cela permet de raffermir le tissu conjonctif, active la circulation sanguine et favorise l'élimination des déchets métaboliques.

Il est important de beaucoup boire afin d'éliminer les déchets métaboliques et les toxines.

Pratiquez régulièrement, mais sans exagération, une activité sportive — car là où il y a du muscle, c'est autant de place en moins pour les cellules adipeuses — et revoyez votre façon de vous nourrir.

Pour agir de l'extérieur, vous pouvez utiliser des crèmes et des lo-

Facteurs déclenchants

- Pilules contraceptives présentant une teneur élevée en œstrogènes
- Tabac
- Abus de café, d'alcool et de soleil
- Position assise jambes croisées
- Collants et pantalons trop serrés
- Pratique sportive exagérée et abus de l'entraînement de la force
- Rayons ultraviolets

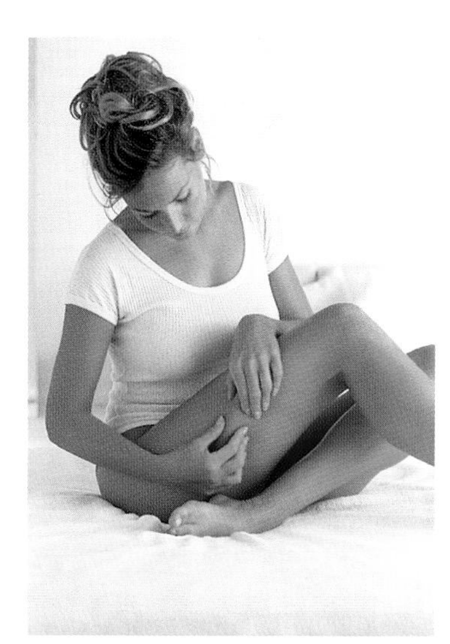

En effectuant régulièrement le test du plan cutané, vous pouvez détecter la cellulite à son tout début.

tions à la vitamine C (effet raffermissant), de l'extrait de lierre ou d'algue (effet drainant) ainsi que de l'extrait de ginseng (qui raffermit les tissus et active la circulation sanguine). Appliquez ces produits chaque jour après la douche sur les zones concernées en les pétrissant délicatement.

Traitement

L'administration de prêle par voie orale, en infusion ou en gélules, permet de stabiliser le tissu conjonctif. Pour le renforcer, on recommande aussi le palpé-roulé quotidien : prenez un plan cutané de quelques centimètres de large entre le pouce et l'index, tirez dessus, faites-le un peu rouler et relâchez-le. Procédez ainsi par petits mouvements rapides sur toute la zone concernée.

Vous pouvez aussi vous masser chaque jour les cuisses, les hanches et le fesses avec une huile hyperémiante, par exemple à base d'extrait de romarin ou de ginseng. À l'instar des crèmes raffermissantes, tout cela n'a toutefois qu'un effet provisoire. Comme notre organisme travaille sans relâche, à peine les déchets métaboliques ont-ils commencé à se réinstaller dans le tissu conjonctif que la peau d'orange réapparaît. Pour un effet plus durable, seuls sont efficaces les traitements qui s'attaquent directement à la cause du mal : la faiblesse du tissu conjonctif sous-cutané.

L'application locale de gels à base d'hormones mâles peut rendre le tissu conjonctif féminin aussi serré que celui d'un homme (voir page 13). Pour faire pénétrer le produit, deux solutions sont possibles : la méthode mécanique, c'est-à-dire par massage, et l'ionophorèse, c'est-à-dire au moyen d'un champ électrique de faible intensité. Cinq ou six séances hebdomadaires sont nécessaires et l'effet dure environ huit mois. Il faut alors refaire deux ou trois séances.

Les traitements aux hormones masculines sont toutefois réservés aux femmes présentant un taux d'androgènes anormalement bas. Pour savoir si c'est votre cas, il faut consulter un endocrinologue afin qu'il vous fasse faire un bilan hormonal.

Cellulite : la méthode qui marche

La thérapie manuelle appliquée à la cellulite s'attaque aux causes situées sous la peau, d'où son efficacité. Brevetée depuis peu, cette méthode consiste à masser les régions touchées au moyen de ventouses afin de raffermir et de restructurer le tissu conjonctif.

L'utilisation d'ampoules en verre pour faire le vide remonte en réalité aux Égyptiens. Appliquées sur la peau, les ventouses produisent un effet aspirant qui stimule le tissu conjonctif, fait affluer le sang et active la circulation des nutriments dans les tissus. Pareil traitement provoque la désagrégation des îlots de déchets métaboliques encapsulés et la dissolution des dépôts adipeux et aqueux. Les déchets sont éliminés, le tissu conjonctif se restructure et la peau perd son aspect capitonné. Pour plus d'efficacité, la thérapie manuelle doit se dérouler étape par étape :

- On stimule tout d'abord le métabolisme par l'administration de plantes médicinales et l'application d'une crème à base de poivre de Cayenne, puis on boit une grande quantité d'eau minérale ou d'infusion afin d'hydrater au maximum son organisme et de soutenir ainsi les émonctoires (foie et reins) dans leur fonction désintoxiquante.
- On prépare ensuite le tissu par un brossage.
- Rien ne s'oppose plus après cela à l'application des ventouses : le traitement subdermique par aspiration et création de vide brise et fait partir les dépôts adipeux et aqueux, mobilise le tissu conjonctif et aplanit les irrégularités de la surface cutanée.
- Un enveloppement de vingt minutes et un drainage lymphatique des jambes favorisent ensuite l'élimination des déchets métaboliques.
- On peut aussi faire une cure intestinale (selon la méthode de F. X. Mayer) ainsi que des séances de relaxation.

Le traitement, qui peut également servir à titre préventif, doit donner lieu à au moins six séances, voire plus, selon l'ampleur du problème et l'âge de la patiente.

Petit lexique des termes couramment employés en cosmétique

Substances anti-âge (en majorité des antioxydants)
Coenzyme Q 10 ⇒ Coenzyme Q 10
Acide folique ⇒ Folat
Acides de fruits ⇒ Alpha hydroxy acid
Sélénium ⇒ Selenium
Vitamine A ⇒ Retinol, généralement sous la forme Retinyl Palmitate ou Retinyl Acetate
Acide rétinoïque ⇒ Tretinoin
Vitamine B1 ⇒ Thiamine
Vitamine B2 ⇒ Riboflavin
Vitamine B6 ⇒ Pyrodoxine
Vitamine C ⇒ Ascorbinat
Vitamine D ⇒ Calciferol
Vitamine E ⇒ Tocopherol, généralement sous la forme Trocopheryl Acetate ou Alpha Tocopherol
Vitamine H ⇒ Biotin
Zinc ⇒Zincum

Substances hydratantes
Glycine ⇒ Glycine
Acide hyaluronique ⇒ Sodium Hyaluronate
Lactose ⇒ Saccharum lactis
Sorbitol ⇒ Sorbitolum

Substances spécialement utilisées dans les soins capillaires
D-Panthénol ⇒ Dexpanthenol
Phytantriol ⇒ Phytantriol

Substances ordinaires servant généralement de base
Sel marin ⇒ Maris sal
Huile de paraffine ⇒ Paraffinum liquidum
Huiles végétales ⇒ Olus
Vaseline ⇒ Petrolatum
Cire ⇒ cera
Eau ⇒ aqua
Lanoline ⇒ lanolinum

Principales classes d'aditifs
Les additifs sont ajoutés aux cosmétiques pour remplir une fonction précise.
Absorbants ⇒ absorbent les substances lipo- ou hydrosolubles
Antioxydants ⇒ combattent les radicaux libres et empêchent le produit de rancir
Antimoussants ⇒ empêchent la formation de mousse
Liants ⇒ assurent la cohésion des substances pulvérulentes
Agents de chélation ⇒ lient les ions métalliques et assurent ainsi la stabilité du produit
Émollients ⇒ adoucissent et assouplissent la peau
Émulsifiants ⇒ permettent l'émulsion de liquides ne pouvant pas se mélanger, comme l'huile et l'eau.
Agents hydratants ⇒ combattent le dessèchement de la peau en augmentant sa teneur en eau ou en limitant les pertes.
Agents filmogènes ⇒ forment un film protecteur sur la peau, les cheveux ou les ongles.
Gélifiant ⇒ confèrent au produit une consistance liquide.
Agents de conservation ⇒ permettent au produit de se conserver.
Solvants ⇒ servent de base aux cosmétiques.
Régulateurs du pH ⇒ assurent la stabilité du taux d'acidité.
Agents surgras ⇒ empêchent le dessèchement de la peau lors du nettoyage.
Exfoliants ⇒ détachent les cellules mortes.
Vitamines ⇒ combattent le vieillissement cutané et l'oxydation.
Régulateurs de viscosité ⇒ confèrent au produit une consistance visqueuse.

Adresses utiles

Vous trouverez les huiles essentielles et autres produits cosmétiques mentionnés dans cet ouvrage aux adresses suivantes :

Florame
8, rue Dupuytren
75006 Paris
Tél. : 01 44 07 34 53

Florame
34, boulevard Mirabeau
13 210 Saint-Rémy-de-Provence
Tél. : 04 90 92 48 70

Herboristerie du Palais Royal
11, rue des Petits-Champs
75001 Paris
Tél. : 01 42 97 54 68

Ainsi que dans tous les magasins du réseau Biocoop.

Dans la même collection

R. Collier, *Renaître grâce à une cure intestinale*
E-M. Kraske, *Équilibre acide-base*
B. Küllenberg, *Les Bienfaits du vinaigre de cidre*
M. Grillparzer, *Brûleurs de graisse*
D. Langen, *Le Training autogène*
M. Lesch, G. Forder, *Kinésiologie : réduire le stress et renforcer son énergie*
E. Pospisil, *Le Régime méditerranéen*
G. Sator, *Feng Shui. Habitat et harmonie*
S. Schmidt, *Fleurs de Bach et harmonie intérieure*
K. Schutt, *Massages : Bienfaits pour le corps et l'esprit*
B. Sesterhenn, *Purifier son organisme*
H-M Stellmann, *Médecine naturelle et maladies infantiles*
W. Stumpf, *Homéopathie pour les enfants*
C. Voormann et G. Dandekar, *Le massage de bébé : Les bienfaits des caresses*
F. Wagner, *L'Acupression digitale*
F. Wagner, *Le Massage des zones réflexes*
M. Werner, *Huiles essentielles : Réveil du corps et de l'esprit*

Index

Remerciements

L'auteur remercie pour leur avis éclairé Barbara Huber, naturopathe, Bascha Kicki, esthéticienne-visagiste, le docteur Monika Kneringer, cosmétologue, et le professeur Thomas Klosterhalfen, directeur de Viamedic.

Crédits photographiques :
Toutes les photos sont de Nicolas Olonetzky à l'exception de : Bavaria Bildagentur : p. 27 (TCL), 37, 38 (VCL), 47 (U. Röder) ; Focus : p. 11 ; GU-Archiv : p. 29 (A. Hosch), 42 (M. Leis), 44 (I. Hatz), 51, 63 et quatrième de couverture (Fotostudio Schmidt), 90 (C. Dahl) ; IFA Bilderteam : p. 45 (J. Alexandre), 55 (Wunsch) ; 56 (Pahlke) : Image Bank : première de couverture ; Jahreszeiten-Verlag : p. 35 (E. Haase), 68, 87 (G. Schwan), 69 (C. Jans), 85 (A. Al Doori) ; Jump : p. 4 (K. Vey), 25, 26, 57 (A. Falck) ; Mauritius : p. 16, 17 (Phototake), 41 (J. Silverberg), 88 (Hubatka) ; New Eyes : p. 78 (V. Chevalier) ; Stockfood : p. 23 (S. Eising), 26 en haut (Cephas), 82 (TH Foto-Werbung) ; Die Woche : p. 9.

Traduction française de Manuel Boghossian

Dépôt légal : mars 2003 – ISBN 2 7114 1526 0
Imprimé en Belgique par la SNEL S.A. en mars 2003 – 28011